L'EXIGENCE HUMANITAIRE

Le devoir d'ingérence

Parus dans la même collection

Faut-il brûler les Rose-Croix ?
Serge Toussaint
Hommes et femmes vers un nouvel équilibre,
Paul Dewandre
Marianne la muette
ou
Les politiques savent-ils communiquer ?
Thierry Lefébure et Hervé Blandin
La Vie... une énigme, le génome humain en devenir,
Gérard Teboul

Si vous souhaitez être informé de nos publications,
il vous suffit de nous envoyer votre carte de visite
à l'adresse suivante :
Les Presses du Management
41, rue Greneta - 75002 Paris
Tél. : 01 53 00 11 71

PIERRE LEGROS
MARIANNE LIBERT

L'EXIGENCE
HUMANITAIRE

Le devoir d'ingérence

Préface de
Bernard Kouchner

Collection dirigée par Gérard Huber
Éditrice déléguée : Evelyn Gessler

éditions

lpm

41, rue Greneta – 75002 Paris

L'Exigence humanitaire
est un ouvrage initié par
LPM-BENELUX
Evelyn Gessler
Chaussée de Charleroi, 96
B-1060 Bruxelles

Sommaire

« *Qu'allais-je donc chercher dans ce pays ? J'étais tranquille. À présent, je sais : je dois parler.* »

André GIDE

« *Chaque homme porte la forme entière de l'humaine condition.* »

MONTAIGNE

Avertissement

En aucun cas, cet ouvrage ne prétend être le reflet des analyses faites par l'association Avocats sans Frontières. La responsabilité de ce qui pourrait paraître une appréciation n'en incombe qu'à ses auteurs. Ni la responsabilité de l'association, ni celle d'aucun de ses adhérents ne peut en conséquence être engagée par ce qui suit.

Écrire la souffrance des autres, raconter les combats menés contre l'oppression ne sont pas des exercices uniformes.

La liste des ONG citées dans cet ouvrage n'est pas exhaustive. Leur « sélection » ne dépend que du choix des auteurs dans l'illustration de leurs propos.

Cet ouvrage est dédié à tous ceux qui luttent pour plus de liberté, plus d'équité, plus d'humanité.

Préface

À la fin des années soixante, dans les pays riches et démocratiques, on saluait encore l'utopie révolutionnaire. Rien n'obligeait un citoyen d'Europe, aucune pression ne s'exerçait sur un avocat belge, personne ne contraignait un médecin français à s'occuper de autres, ces lointains que dissimulaient les frontières du droit et des habitudes. Cette compassion exotique paraissait politiquement incorrecte. Les usages, les conformismes, les corporatismes et les lois bloquaient les solidarités, figeaient les bonnes volontés. Parlant de leurs nationaux, de leurs ressortissants, les médecins disaient « mon patient », les avocats « mon client ». Et les autres ? Ah, les autres, leurs souffrances ne nous appartenaient pas, ils étaient hors d'atteinte, de leur côté des guérites, au-delà de cette ligne impalpable qui quadrillait si bien les souverainetés d'État.

Dans ces années-là, les idéologies dominaient. On jugeait du combat dans les « pays étrangers » à l'aune des raisonnements politiques. Il y avait des bonnes et des mauvaises batailles. Le mot « humanitaire » n'existait pas encore.

À l'abri des frontières, pierre philosophale des diplomaties, des totalitaires tuaient « leurs » minorités en toute impunité. Les politiques se résignaient à l'impuissance : le malheur des autres ne concernait personne.

« Charbonnier est maître chez soi », avait affirmé Joseph Goebbel, devant la Société des Nations. Et d'ajouter : « Laissez-nous faire ce que nous voulons avec nos socialistes, avec nos communistes et avec nos juifs. » Cette règle énoncée crûment par ce maître en fascisme recueillait l'assentiment général. Elle attendit près de quarante ans pour être violée. Amnesty International d'abord envoya des lettres à des dictateurs qui n'étaient pas les nôtres : ingérence immatérielle. Puis les French Doctors de Médecins sans Frontières répondirent à l'appel des victimes et pas seulement des gouvernements qui les abritaient, les dissimulaient ou les persécutaient : ingérence matérielle.

Pierre Legros, le fondateur d'Avocats sans Frontières n'était pas homme à se prosterner devant les lois oppressives. Pour lui les droits de l'homme appartenaient à tous les hommes et surtout aux plus pauvres, aux plus démunis et aux plus vulnérables. Rien à voir avec la *real politik* qui autorise à détourner les yeux de la ville martyre de Grosny, Guernica de la fin du millénaire. Pierre Legros l'affirme après Bertold Brecht : le ventre est encore fécond. Chômage, malheur, corruption, nationalisme : la guerre et le fascisme ne sont pas loin.

Il nous font réagir, et surtout nous, les habitants d'Europe. Une torture reste un crime impardonnable, même perpétré loin de nos nations riches. Chez eux, chez nous, c'est partout semblable exigence. Lisez les pages qui suivent : vous y découvrirez l'itinéraire d'un juriste révolté par l'injustice et l'esquisse d'une victoire pour les habitants de la planète. Malgré les ombres du Caucase et du Tibet, globalement nous avançons.

Les pages qui suivent sont une leçon, un raccourci d'espoir. La générosité gagne contre le Vieux Monde. À la charnière d'un siècle qui aura connu les plus grands massacres et plusieurs génocides, le paysage semble s'éclaircir. La loi a la tête dure, mais certains juristes, et non des moindres, comme ce professeur de déontologie à la faculté de Bruxelles, sont plus têtus que le droit. Ils changent la loi, en y ajoutant ce droit d'ingérence qui fait peur à certains et que tout le monde bientôt acceptera. Inspiré par la société civile et par les ONG, dont le livre traite longuement, le bâtonnier

Legros est un faiseur de droit. Grâce à lui, se complète une morale de l'extrême urgence qui aura demain force de loi, pour toutes les victimes, sous toutes les latitudes.

Au-dessus des souverainetés d'État, les droits de l'homme se mettent en place. Ce livre en trace une précieuse généalogie, ne se contentant plus d'imprégner certaines législations nationales. Les souverainetés d'État ne demeureront respectables que lorsque les minorités qu'elles abritent seront protégées durablement. Les vérités situées s'effilochent. Cet ouvrage l'affirme : un malheur, où qu'il advienne, reste un malheur. Un cadavre ressemble à une victime, quelle que soit la couleur de sa peau.

Kurdistan d'Irak, Somalie, Albanie, Haïti, Kosovo, Timor : certains préfèrent appeler ces protections-là, même si elles furent tardives, des interventions humanitaires. Le mot ingérence fait encore peur. Pas à Pierre Legros, ni à ses amis, comme vous le verrez plus loin. Ce qui fut un devoir des Avocats sans Frontières, défendre les accusés n'importe où, se transformera en droit préventif. Je sais, il y a la Tchétchénie, le Tibet. Je sais que tant reste à faire. Mais qui pouvait imaginer il y a dix ans un tribunal pénal international ? Qui aurait osé proposer une intervention en Bosnie ?

Face à la globalisation que certains redoutent, ce livre affirme que la mondialisation de l'information autorise d'immenses espoirs et impose l'indignation universelle.

Je me souviens de la première visite que me fit Pierre Legros. Cet avocat de grande notoriété voulait créer Avocats sans Frontières. Il s'animait, le bourgeois belge, et se transformait sous mes yeux en combattant des rues ! Son organisation fut et demeure une grande réussite et un soutien majeur pour les victimes et les barreaux persécutés du tiers-monde. Ce livre retrace quelques-unes des aventures, quelques-uns des déboires et des succès de l'organisation.

Il y a quelques jours, le bâtonnier militant est venu me voir au Kosovo. Ses yeux avaient la même lueur que jadis en me proposant de l'aider à la renaissance des avocats kosovars.

Pour ceux qui doutent, ce livre apparaît comme un remède. C'est un récit d'aventure, celle de la solidarité, un moment nécessaire de réflexion dans la lutte contre la pire des soumissions : le conformisme légal.

Pierre Legros a fait du monde son prétoire.

Bernard KOUCHNER

Introduction

Dès son origine, le message largement diffusé par Jésus, plébiscitant conjointement charité et amour du prochain, donne lieu, en fonction de la hiérarchie des valeurs propres à chaque époque, à deux interprétations aux conséquences antagonistes.

Si l'on se base prioritairement sur l'amour du prochain, la situation du laissé-pour-compte, dans lequel on reconnaît l'homme digne d'amour, ne peut être compensée de manière satisfaisante par une seule obole. La réalité que cette situation reflète nécessite plus et mènera à un combat contre l'injustice dont il est la victime, remettant dès lors en cause l'ordre social et pouvant être interprété comme une menace par le pouvoir en place. La crucifixion à laquelle son combat mena Jésus démontre à quel point le pouvoir a rapidement compris ce danger faisant de lui le cas le plus notoire d'exécution pour délit d'opinion.

Le message de saint Thomas d'Aquin, à propos de la propriété, socle fondateur de notre droit, illustre la même conception. Il estime que nous pouvons nous considérer possesseur à condition que, si quelqu'un manque de ce que nous possédons, nous lui en permettions l'usage non par charité mais par obligation.

A contrario, ce point de vue permet de mettre en exergue les dangers intrinsèques de la charité. En donnant par charité, et non par obligation, on affirme le bien-fondé de la propriété ; en adoucissant les manifestations trop criantes de la misère, on en contient la révolte. Partant d'une forme de contestation généreuse et pacifiste, la charité devient alors la caution d'un ordre social injuste. Elle, qui permet au chrétien de gagner le salut de son âme et à l'athée d'être en paix avec sa conscience, participe involontairement au maintien de cet ordre.

Cet antagonisme entre la charité silencieuse et l'amour contestataire, se manifeste tout au long de l'histoire du combat humanitaire. Actuellement encore, il est au cœur des questions auxquelles se confrontent régulièrement les « combattants de l'Homme ».

Lorsque Henri Dunant fonda la Croix-Rouge pour venir en aide aux blessés de guerre de quelque camp qu'ils soient, cette question lui fut posée : en humanisant la guerre, ne contribue-t-il pas à la légitimer ? La baronne de Suttner, militante pacifiste, lui écrivit en 1899 lors de la conférence de Genève : « Votre œuvre splendide est en train, entre les mains des rétrogrades, de se mettre en obstacle sur la route d'un bien supérieur. Tous les militaires, hommes d'État et gouvernements qui ne veulent pas entendre parler de la fin des guerres se retranchent derrière la Croix-Rouge et la Convention de Genève... pour ne pas avoir à s'occuper des moyens d'éviter ces massacres. »[1] D'autres pacifistes s'attaquèrent à la Croix-Rouge de manière encore plus virulente. Le prix Nobel de la Paix, Frédéric Passy, déclara à son propos : « On n'humanise pas le carnage, on le condamne, parce qu'on s'humanise. »[2]

Dans l'Éthiopie du colonel Mengistu ou dans les camps de réfugiés hutus aux mains des milices de l'après-génocide au Rwanda, c'est ce même dilemme, toujours plus insidieux, toujours plus sournois qui se pose : en participant au sauvetage des victimes, en fournissant l'aide alimentaire – tout

1. Baronne de Suttner, citée dans *L'Aventure humanitaire* de J.-C. Rufin, Découvertes Gallimard, 1994.

2. Frédéric Passy, cité par Alain Destexhe dans *L'Humanitaire impossible ou deux siècles d'ambiguïté*, Éditions Armand Collin, 1993.

acte qu'il faut incontestablement accomplir – ne contribue-t-on pas aussi à renforcer le pouvoir des oppresseurs ?

C'est cette même question qui, au printemps 1999, fait hésiter certaines associations humanitaires sur l'attitude à adopter face aux réfugiés albanais du Kosovo : doit-on les transférer vers des pays d'accueils, temporaires ou non, au risque d'avaliser de fait l'épuration ethnique organisée par Milosevic au Kosovo ou abandonner ces victimes civiles aux conditions d'une survie précaire que leur offrent les camps, en se contentant de leur fournir une aide alimentaire et sanitaire ?

De la prise de conscience à l'envie d'agir, de l'action silencieuse à la dénonciation, le combat humanitaire s'est lentement installé. Actions privées ou étatiques, religieuses ou laïques, il se diversifie et évolue de plus en plus vite. Médical, économique, juridique, neutre et pourtant politiquement ancré dans la Déclaration universelle des droits de l'homme, plus il s'impose et plus la connaissance de ses responsabilités le fait réagir.

I

Amour et charité

Du Moyen Âge à la Croix-Rouge

De l'aurore moyenâgeuse à l'aube de la philosophie des Lumières, l'aide ou la prise en charge des miséreux fut principalement assumée par l'Église et ses œuvres. Regroupés dans des institutions, abrités des regards par les murs épais de la religion, ces pauvres hères n'avaient d'autre espoir que la mort pour s'échapper de l'horreur de leur condition, découlant d'un ordre inégal et néanmoins divin.

La distribution d'indulgences par l'Église comme l'invention du purgatoire, et le temps plus ou moins limité que tout chrétien se voit destiné à y passer, servent de stimulations propices aux dons des riches, lesquels participent ainsi à l'entretien ou à la construction des hospices. La charité chrétienne se veut silencieuse, fière de son désintéressement, lequel lui confère une valeur pure, intacte de tout péché d'orgueil, mais qui laisse pourtant certaines riches ou puissantes familles inscrire leur nom dans la clarté des vitraux ou sur les frontispices des hôpitaux. Les croisades, et les institutions que les Templiers bâtirent, stigmatisent assez violemment la manière dont la charité pouvait alors être comprise, soignant le chrétien et massacrant l'infidèle, envers lequel les croisés se voulaient convaincus d'être charitables en tentant de le sortir de sa « néfaste ignorance ».

La charité, pour des raisons évidentes d'ordre public cautionnées par l'Église, l'avait largement emporté sur l'amour.

Au XIIe siècle, par opposition à « divinité » le mot « humanité » apparaît, il désigne alors l'ensemble des hommes. Ce terme s'enrichit, au XVIIᵉ siècle, de la sensibilité au malheur des autres. Il semble intégrer pour la première fois la possibilité d'élever les hommes en recourant à l'éducation, la médecine et le droit. Pour atteindre ce degré d'évolution, le concept d'humanité a voyagé à travers les écrits d'Érasme, lequel, par le biais de son *Éloge de la folie*, dénonce la férocité des guerres et appelle les hommes à recourir plus régulièrement à la raison. Il a côtoyé Montaigne qui, fort de cette raison, dénonce l'usage de la torture, des procès en sorcellerie ou de la colonisation des Indes. Il a, enfin, fréquenté l'époque où Grotius écrit le *De jure belli ac pacis*, ancêtre du droit international public, condamnant notamment les techniques de guerre qui « causent des pertes inutiles et des souffrances excessives ».

Dans la France de 1662, alors que même les systèmes d'aide mis en place par saint Vincent de Paul ne suffisent plus à contenir le nombre croissant de mendiants entassés dans les villes, l'État, inquiet des conséquences d'une misère de plus en plus visible, s'investit et prend en charge la création d'hôpitaux généraux dans lesquels les pauvres sont enfermés, retirés à la vue d'une population qui risquerait de s'en inquiéter.

À quelques années et kilomètres de là, en Grande-Bretagne, en 1668, Georges Fox fonde les Quakers, mouvement protestant qui, arguant de la présence de l'Esprit Saint dans la conscience individuelle, investit l'individu de souveraineté. Il invoque pour la première fois les principes d'égalité, fraternité et paix. En 1682, William Penn, quaker anglais inspiré de ces principes, fonde la colonie de Pennsylvanie et la ville de Philadelphie sur une constitution et des lois démocratiques et libérales. Refuge des persécutés, cette région sera notamment connue pour avoir respecté, fait exceptionnel, les traités signés avec les Indiens.

Alors que la Grande-Bretagne consacre sa victoire sur l'absolutisme royal en proclamant la *Bill of Rights* (1689) qui définit les droits du Parlement et du citoyen, ce sont les lois en vigueur en Pennsylvanie qui inspireront la législation des États-Unis. En 1776, la Déclaration d'indépendance rédigée par Thomas Jefferson et Benjamin Franklin revendique la notion d'égalité entre les hommes et la responsabilité des gouvernants à rechercher le bonheur de leur peuple.

En France, pendant que Jean-Jacques Rousseau appelle les hommes à être « humains », un nouveau courant de pensées s'installe qui reconnaît des droits aux esclaves, qui refuse la soumission à la fatalité d'un ordre inégal, qui confirme l'importance du raisonnement individuel, qui plaide pour la suppression de la torture ou pour la réforme des prisons, qui place l'homme au centre des préoccupations, et qui fera éclore les nouvelles idées sur lesquelles nos sociétés occidentales sont construites : c'est la philosophie des Lumières.

Le malheur, la détresse des autres ne nous sont plus étrangers ; ils apparaissent non seulement comme l'aboutissement d'une société inégalitaire aux yeux de la raison mais aussi comme découlant de la responsabilité de tous, les citoyens étant globalement appelés à participer à l'organisation de la vie sociale. Il ne s'agit plus de gagner sa place au ciel en étant charitable mais d'être en paix avec soi-même, en accord avec sa conscience, en œuvrant pour l'amélioration de la condition humaine.

Parallèlement, le terme d'humanité se rapproche timidement de la reconnaissance de l'égalité entre tous les hommes et de l'importance d'améliorer leur sort de manière universelle. Sous cette impulsion, la protection des personnes en temps de guerre connaît de grands progrès. Rousseau revendique la nécessité de distinguer les combattants et les « civils ». Les hôpitaux de campagne jouissent de la protection d'un fanion distinctif, et le pourcentage de chirurgiens affectés aux armées est largement augmenté.

Une nouvelle morale apparaît, fondée sur l'homme et la bienfaisance, sur la philanthropie portant en elle-même son propre accomplissement, par opposition à la finalité spirituelle de la charité, mais qui comme elle se mesure et s'estime à l'aune de son silence.

En 1789, à la veille de la Révolution française, le marquis de Condorcet écrit la « Déclaration des droits », dans laquelle il stipule que les droits des hommes concernent la liberté et la sûreté de la personne, la liberté et la sûreté de la propriété, et l'égalité « car il ne peut exister aucun motif fondé sur la raison pour qu'un homme retire de la société des avantages plus grands qu'un autre homme, à l'exception de ceux qui sont la suite nécessaire de ses qualités individuelles ou de son droit de propriété... Le but essentiel de la société est d'assurer à tous ceux qui la composent la jouissance entière des droits mutuels qui dérivent de leur nature et de leurs rapports entre eux... »[1].

Les balbutiements d'une égalité qui tend à l'universalité, le pressentiment de l'existence d'une identité humaine et le rejet de la passivité fataliste ne se contiennent plus derrière les frontières de la seule charité. L'amour et le respect dus à l'autre en vertu de cette universalité encore précaire les font exploser. La volonté de solidarité, désintéressée et néanmoins combative, s'affirme, réunissant nombre d'intellectuels et de nantis au peuple démuni dans un mouvement contestataire qui les mèneront à la révolution de 1789. La Déclaration des droits de l'homme et du citoyen énonce alors les « droits naturels et imprescriptibles » de l'homme. En 1790, un Comité de mendicité apparaît, et en 1793 la deuxième Déclaration des droits de l'homme et du citoyen reconnaît la responsabilité et le devoir de la nation face aux miséreux[2].

Loin de là, en cette même année 1793, des aristocrates

---

1. Marquis de Condorcet, Déclaration des Droits, Versailles, 1789.
2. La Déclaration des droits de l'homme et du citoyen de 1793 dépassait à maints égards celles de 1789, qui elle-même dépassait les déclarations anglaises et américaines. Ces acquis furent cependant largement reniés par la Déclaration des droits de l'homme et du citoyen de 1795 qui supprima l'affirmation selon laquelle « les hommes naissent et demeurent libres et égaux en droit ».

français sont chassés de Saint-Domingue par la révolte des esclaves. Recueillis en Floride, des crédits de secours sont votés par le Congrès. Ces oppresseurs déchus vont bénéficier de l'une des premières aides publiques attribuée à des réfugiés.

La Révolution française, la guerre de Sécession américaine en 1861 et l'abolition de l'esclavage qui l'accompagne, vont, comme de nombreux conflits internes ou guerres d'indépendance, favoriser l'éclosion des principes démocratiques, corollaire politique indispensable à la progression du mouvement humanitaire.

Par contre, les quelques progrès qui, depuis le XVIIIe siècle, avaient contribués à limiter les effets dévastateurs de la guerre furent, eux, anéantis par l'égalité revendiquée lors de la Révolution française ! En créant la conscription, les révolutionnaires ont balayé d'importants acquis. Les soldats n'étant plus des mercenaires « achetés », il s'avère moins cher de les remplacer que de les soigner. Les populations civiles, transformées en réservoir de l'armée, redeviennent des cibles. Les hôpitaux et le personnel sanitaire sont à nouveau des objectifs militaires. « Pour refaire ses effectifs, Napoléon préfère la conscription à la chirurgie... À Waterloo, les attaques des Français contre les lignes de Wellington se soldent par 25 000 tués ou blessés, soit plus du tiers de leurs hommes [...] (De son côté), pour toute son armée à travers le monde, la Grande-Bretagne n'a que 163 officiers chirurgiens. Pendant la guerre de Crimée, l'absence totale d'infrastructure sanitaire a des conséquences meurtrières : 13 000 soldats succombent sur les champs de bataille... et 83 000 meurent de maladie [...] Dans les hôpitaux anglais, la mortalité atteint 39 % par mois ! [...] Par l'intermédiaire de la presse, le public anglais découvre avec indignation le sort réservé à ses soldats [...] et oblige le gouvernement à prendre des mesures qui ont, grâce à l'énergie et au dévouement de Florence Nightingale [1], des résultats spectaculaires. Pendant les six derniers mois de la campagne, l'armée anglaise ne perd que 2 % de son effectif, alors que l'armée française, son alliée, qui vit dans les mêmes conditions, est réduite de 22 %. L'état-major français a les mêmes difficultés avec la presse mais la surmonte par une censure rigoureuse ! » [2]

Juin 1859, l'été approche. Un homme quitte Genève. Henri Dunant, homme d'affaires et d'agriculture, notable ruiné, engagé dans la lutte contre l'esclavagisme, croyant en la fertilisation du Maghreb, veut rencontrer l'empereur Napoléon III pour l'entretenir de ses projets et pour obtenir des concessions en Algérie. Il le rate à Paris, le suit en Italie, le manque plusieurs fois de peu. Le 24 juin, il arrive à Solférino. Ce sont les conséquences de la guerre qui l'attendent, le surprennent et l'arrêtent.

Au milieu des 39 000 corps gisants, les râles des soldats agonisants, abandonnés par leurs armées, confrontent violemment l'homme à l'urgence de développer plus avant la conscience humanitaire. Avec les paysans des villages environnants, il transporte les corps des survivants, les abrite, tente de soigner, distribuant des cigares pour couvrir les odeurs. De cette tragique expérience, il retire une volonté tenace d'établir des soins pour toutes les victimes, de quelque camp qu'elles soient, d'imposer une neutralité reconnue, protégée – hors d'atteinte au milieu des boucheries de la guerre – pour un corps médical internationalement composé de bonnes volontés.

L'homme commence son combat pour l'homme, il écrit, il témoigne et finalement crée en 1863 le Comité international de secours aux militaires blessés qui devient en 1875

---

1. L'infirmière Florence Nigthingale qui sera reconnue par Henri Dunant comme l'une de ses inspiratrices, se consacre à l'amélioration des services de santé des armées au bénéfice unique des soldats britanniques.
2. Alain Destexhe, *L'Humanitaire impossible ou deux siècles d'ambiguïté, op. cit.*

le Comité international (quoique exclusivement suisse) de la Croix-Rouge (CICR). Le CICR est la première organisation laïque privée spécifiquement humanitaire. Elle se dotera ensuite, pour des raisons pratiques d'efficacité et de rapidité d'intervention, de structures nationales appelées Croix-Rouge ou Croissant Rouge.

Suisse et à vocation universelle, neutre et traitant avec les États, la Croix-Rouge pose le principe de la neutralité de la victime. Une fois blessé, la souffrance transcende le soldat, le prend hors de sa nationalité ou de son corps d'armée, pour le plonger dans son nouveau statut de victime. Il n'est plus membre d'un camp mais parcelle de l'humanité tout entière, neutre et indépendant à l'image de sa douleur. « L'homme blessé, prisonnier ou naufragé, désormais sans défense, n'est plus un ennemi mais seulement un être qui souffre. » [1]

En 1864, à l'instar d'Henri Dunant, la première Convention de Genève pour la protection des blessés de guerre est signée, et la neutralité du service sanitaire reconnue. Cette convention, qui ne statue que pour les militaires « car il allait alors sans dire que les civils demeuraient en dehors de la guerre » [2] peut être considérée comme la première apparition de revendications humanitaires privées au sein des textes juridiques. Elle marque le début du droit humanitaire.

En cette deuxième moitié du XIXᵉ siècle, la Suisse, les États-Unis, la Grande-Bretagne et la France sont les lieux privilégiés de l'éclosion d'initiatives humanitaires, même si ces dernières ne sont que rarement désintéressées ou libres de contradictions.

Ainsi la Grande-Bretagne, dont la politique économique libérale a abandonné à la mort près d'un million d'Irlandais lors de la « maladie de la pomme de terre » [3], et qui, par ail-

---

1. CICR, note préliminaire aux Conventions de Genève du 12/08/1949.
2. CICR, note préliminaire aux Conventions de Genève du 12/08/1949.
3. La maladie de la pomme de terre, qui débuta en 1845, a anéanti cinq

leurs, se lance dans la lutte contre le trafic d'esclaves, trouve avec le « bois d'ébène », le cheval de bataille pour sa reconquête de la maîtrise des mers ; les jeunes États-Unis développant des idéaux de vertu et de liberté n'en massacrent pas moins abominablement les populations indiennes ; les premiers « médecins de brousse », tel le français Eugène Jamot, pionnier de la lutte contre la maladie du sommeil, et la création des premières écoles militaires de médecine tropicale vont de pair avec les conquêtes coloniales, l'anéantissement et le mépris témoignés aux cultures des populations africaines.

La bienfaisance et le progrès servent de justifications laïques au même titre que la charité sert de prétexte religieux à ces sanglantes volontés de « tirer les peuples de leur ignorance », de les « élever » vers une « culture supérieure » ou vers le « Dieu unique », tout en renforçant considérablement les richesses et les pouvoirs de l'Église ou de ces États qui se prétendent « charitables ».

À côté de la Croix-Rouge, qui s'installe dans les faits et les consciences, d'autres initiatives émergent, telle l'Armée du Salut, ou imposent des réformes, comme le code de la guerre « *Lieber* ».

À nouveau en réaction à une situation injuste, un autre mouvement important se fonde en France en cette fin de siècle. L'irrégularité du procès et l'innocence du condamné rassemblent massivement autour de l'affaire Dreyfus d'abord et du procès de Zola ensuite – auteur de *J'accuse* – « des maniaques du Droit, des fous de l'équité » tel que se définit alors l'un de ses pionniers[1]. La Ligue des droits de l'homme et du citoyen (LIDH) apparaît le 20 février 1898. Se référant à la Déclaration des droits de l'homme et du

---

récoltes successives. Près d'un million de paysans Irlandais moururent de faim sans que la Grande-Bretagne ne décide la moindre mesure de sauvetage.

1. Victor Basch, en juillet 1933, cité dans « 1898-1998 Une mémoire pour l'avenir », Hommes et Liberté, Ligue des droits de l'homme.

citoyen du 26 août 1789, la Ligue se donne pour objectif d'en « défendre les principes fondamentaux sur lesquels repose depuis cent ans l'égalité de la patrie »[1], elle se dit « destinée à défendre les principes de liberté, d'égalité, de fraternité et de justice »[2].

Dès ses premiers pas, la Ligue s'engage, au-delà de l'affaire Dreyfus qui servit de catalyseur, à « marcher contre l'ennemi qui veut le règne du sabre et de l'intolérance, contre l'ennemi de la pensée, de la liberté, de la justice, contre les faiseurs qui ne s'accommodent ni de la liberté, ni de l'égalité et encore moins de la fraternité, contre toute cette bande abominable, qu'elle soit galonnée, décorée, enjuponnée [...] afin de déclarer la guerre à toutes les injustices quelles qu'elles soient, à toutes les lois de circonstances quelles qu'elles soient, à tous les politiciens traîtres à leurs paroles quels qu'ils soient [...] elle ne faillira pas à son rôle lequel lui commande d'être une Ligue d'attaque[3] ».

Alors que le CICR devient « faiseur de droit », la Ligue s'en fait gardienne. Malgré ce dynamisme volontaire et cet amour de la justice, la Ligue, dont la constitution se réfère à un texte français, enracine son rôle de pourfendeur des inégalités en France et dans les territoires sous sa domination, dans lesquels elle condamne les « sévices contre les indigènes »[4]. De plus, si elle rassemble des personnes de tout niveau social et intellectuel, y compris des femmes – ce qui est alors très rare –, son indépendance se teinte rapidement de préférence « politique ». De nos jours encore, elle appelle à voter pour le parti ayant son soutien. Loin de l'universalité et de la neutralité prônée par le CICR, la Ligue est cependant la première association à réclamer la défense de droits individuels autres que les seuls soins médicaux pour tous les

1. Ludovic Trarieux, président-fondateur de la Ligue, cité dans « 1898-1998 Une mémoire pour l'avenir », *op. cit.*

2. Article 1er de ses statuts.

3. Henry Leyret, « La Ligue sans réticences, sans hésitation », *L'Aurore,* avril 1898, article cité dans « 1898-1998 Une mémoire pour l'avenir », *op. cit.*

4. « 1898-1998 Une mémoire pour l'avenir », *op. cit.*

soldats en temps de guerre. Ce faisant, elle contribue à étendre le domaine humanitaire, lui fournissant un autre terrain de combat.

De la Croix-Rouge à Médecins sans Frontières

La Première Guerre mondiale révèle l'ampleur du besoin humanitaire au milieu de la souffrance humaine, la Croix-Rouge y est reconnue pour son absolue nécessité.

Au-delà du seul secours médical, elle se soucie des conditions de détention des prisonniers de guerre, obtient le rapatriement des blessés les plus graves, localise les familles, recherche les disparus et se charge d'établir les contacts épistolaires ou de fournir des colis.

Une fois de plus, la guerre, tel un douloureux tremplin, permet à l'humanitaire de sortir grandi. C'est cet étrange constat qui pousse sans doute nombre d'associations humanitaires, aujourd'hui encore, à n'exister que dans l'urgence des conflits ou des catastrophes.

Au lendemain de la guerre, les actions de la Croix-Rouge tentent de répondre aux demandes qui de partout affluent, en s'occupant tant des réfugiés et des prisonniers libérés que des besoins vitaux des populations civiles. L'alimentation, l'hygiène, la santé se créent alors une place de choix dans les nouvelles préoccupations de l'association. Des orphelinats s'ouvrent sous son emblème, des campagnes de vaccination s'organisent. Cette diversification mène la Croix-Rouge, sous l'impulsion d'Henry Davison, président de la Croix-Rouge américaine, à se scinder en 1919 entre la Ligue des Croix-Rouges (actuellement Fédération des sociétés de Croix-Rouge), qui prend en charge les actions en temps de paix et en cas de catastrophes naturelles, et le CICR, qui reste neutre et gardien du droit humanitaire en temps de guerre. Sous son influence, le 12 août 1929 est signée une nouvelle convention sur le traitement des prisonniers de guerre.

Au cours de ces années d'après-guerre, de nouveaux témoignages de solidarité se font jour. Des associations et des systèmes d'aide sont mis en place. L'*American Relief Administration* (ARA) lance de grands programmes d'aide en Europe, *Save the Chidren's Fund* se crée en Grande-Bretagne en 1919. Les États, directement concernés, évoluent. La Société des Nations (SDN), destinée à prévenir les conflits, donne aux États la possibilité de s'exprimer à un niveau international en tenant un langage « pacifiste ».

Un haut commissariat aux réfugiés apparaît sous l'égide de la SDN. Les « passeports Nansen » sont créés, dotant pour la première fois les réfugiés comme les apatrides du droit d'obtenir une identité publique.

Peu à peu, des Ligues nationales des droits de l'homme apparaissent dans différents pays européens. En 1922, tentant de lutter contre les nouveaux risques de guerre qui menacent, ces Ligues s'unissent dans une Fédération commune. La Fédération internationale des droits de l'homme (FIDH) est créée. Elle a aujourd'hui largement dépassé les frontières de l'Europe et rassemble 105 ligues présentes dans autant de pays.

Malheureusement, la Seconde Guerre mondiale, que la SDN n'aura pas évitée, s'enterrant ainsi elle-même sous son insuccès, sera aussi le lieu tragique du plus retentissant échec de la Croix-Rouge et de l'action humanitaire telle qu'elle était alors conçue.

Fidèle à ses principes de neutralité et de stricte légalité, ne voulant pas mettre sa présence en péril en témoignant, mais craignant surtout la dénonciation des conventions existantes concernant les prisonniers de guerre qui constituaient sa priorité, la Croix-Rouge se tait sur ce qu'elle voit et comprend dans les camps d'extermination. Analysés à la lueur de l'Histoire, ce choix de charité payé au prix de la non-dénonciation, ce silence pernicieux font apparaître de lourdes responsabilités liées à une complicité passive.

En n'ayant pas mis au jour la vérité qu'elle avait découverte, en n'ayant pas usé de son crédit pour se faire entendre, en n'ayant pas utilisé la force que représente une opinion publique informée, elle n'a non seulement pas permis que certaines voies de chemins de fer soient bombardées, ce qui aurait pu limiter la rapidité des déportations, mais peut-être a-t-elle aussi compromis les chances d'engager plus rapidement les États-Unis dans la guerre, et donc d'en accélérer l'issue. Elle n'est certainement pas la seule qui savait et pouvait alerter l'opinion. Churchill, Roosevelt, le Vatican détenaient sans doute les mêmes informations, mais elle était la seule couverte de neutralité, la seule à n'exister que dans un but d'humanité. Ce constat borde cruellement une merveilleuse initiative humaine des conséquences inacceptables de ses limites. « À partir des années 1942, l'organisation genevoise est au courant du sort réservé aux juifs et aux tziganes qui franchissent les portes des camps de la mort. Malgré ces informations, elle opte pour un silence pesant, privilégiant son mandat auprès des prisonniers de guerre. Pourtant, le CICR (qui n'a pas de mandat concernant les civils emprisonnés) dispose d'un droit d'initiative humanitaire qui lui permet de dénoncer des violations graves aux règles humanitaires (article 6 des statuts). Mais l'organisation suisse fait preuve d'une grande prudence échaudée par les polémiques suscitées par sa déclaration du 6 février 1918 condamnant solennellement l'utilisation du gaz de combat, et par celles sur les violations de la Convention lors de la guerre d'Éthiopie en 1936... Attaché à son mandat, obnubilé par son légalisme, le CICR ne perçoit pas le caractère spécifique du régime hitlérien. À l'automne 1942, l'association hésite et renonce à publier un appel solennel dénonçant les violations du droit des gens. »[1]

Les carences du droit international, révélées par la Seconde Guerre mondiale, mèneront le CICR à proposer un projet de conventions qui aboutira le 12 août 1949 à

---

1. Guillaume d'Andlau, ancien délégué aux opérations internationales de la Croix-Rouge française, *L'Action humanitaire*, Que sais-je ?, 1998.

l'adoption des quatre conventions de Genève signées par 48 États et intégrant pour la première fois la protection des personnes civiles en temps de guerre.

Le sort des survivants, des victimes par millions, mobilise, au cours des dernières années du conflit et de celles qui suivent, de nombreuses nouvelles associations qui se créent en Europe et massivement aux États-Unis. Recourant à une grande implication du public, ces associations, laïques ou d'obédience religieuse, sont majoritairement soumises aux influences du pouvoir. Les géants des actions caritatives, pour la plupart encore effectifs aujourd'hui, datent de cette époque. Aux États-Unis, le *Catholic Relief Service* est créé par les catholiques, le *Church World Service* par les protestants et les orthodoxes, le *Joint Distribution Committe* par les juifs. En Grande-Bretagne, en 1942, les quakers, confrontés à l'inflexibilité du Premier ministre Winston Churchill, créent l'*Oxford Famine Relief Committee* (Oxfam) afin de venir en aide à la population grecque affamée par le blocus total auquel les alliés ont soumis la Grèce occupée. Du côté laïque, dès le début de la Seconde Guerre mondiale se crée l'*International Rescue Committee* (IRC), et en 1945 apparaît *Cooperative for American Remittancies in Europe,* transformé depuis lors en *Everywhere* (Care). Enfin, par réaction à la guerre de Corée, *World Vision* apparaît en 1950.

Tous les moyens alors connus de marketing sont utilisés pour récolter des fonds. C'est le début de la publicité au service de la générosité. En hiver 1954, lorsque, un peu par hasard, l'abbé Pierre utilise la radio pour lancer un appel à la générosité populaire, il dote le « marketing humanitaire » d'un nouvel outil.

La création de l'Organisation des Nations unies (Onu) à la conférence de San Francisco le 26 juin 1945 est une étape fondamentale pour l'évolution du mouvement humanitaire. Non seulement parce que, une année plus tard, le 21 juin 1946, la jeune Onu crée la Commission des droits de l'homme, non seulement parce qu'elle institue des agences spécialisées à but prioritairement humanitaire et dotées de moyens jusque-là inégalés, tels le Fonds des Nations unies pour l'Enfance (Unicef créé en 1946) ou l'Organisation mondiale de la santé (OMS créée en 1948), non seulement parce que le 9 décembre 1948 l'Assemblée générale de l'Onu adopte la Convention sur la prévention et la poursuite des crimes de génocide, mais surtout parce que c'est son assemblée générale qui, le 10 décembre 1948, « considérant que les États membres se sont engagés à assurer, en coopération avec l'Onu, le respect universel et effectif des droits de l'homme et des libertés fondamentales... proclame la Déclaration universelle des droits de l'homme [1] comme l'idéal commun à atteindre par tous les peuples et toutes les nations ». En son article premier, ce texte annonce : « Tous les êtres humains naissent libres et égaux en dignité et en droits. Ils sont doués de raison et de conscience et doivent agir les uns envers les autres dans un esprit de fraternité. » [2]

Sarcasmes de l'Histoire : l'année 1948, qui débuta avec l'assassinat de Gandhi, fut aussi celle où Daniel Malan accéda au poste de Premier ministre et donna au gouvernement de l'Afrique du Sud le « développement séparé des races », l'apartheid.

L'assurance de paix, qui malgré tout semble être apportée par l'Onu, donne au mouvement humanitaire la possibilité d'aller au-delà des interventions ponctuelles jusqu'alors réalisées et de s'engager dans le développement à long terme. En faisant ce choix, les nouvelles conséquences politiques, économiques et sociales de ces actions prennent une plus grande ampleur, rendant le mouvement humanitaire plus propice aux influences extérieures.

Ainsi, si la Déclaration universelle des droits de l'homme, et plus particulièrement l'appel à « agir les uns envers les

---

1. Le texte de la Déclaration universelle des droits de l'homme fut élaboré par une Commission présidée par Mme Eleonore Roosevelt et, outre sa présidente américaine, principalement constituée du Français René Cassin, du Belge Fernand Dehousse, du Canadien John Humphrey, du Libanais Charles Malik, du Chilien Herman Santa Cruz et du Chinois P. Wang.
2. Déclaration universelle des droits de l'homme, 10/12/1948.

autres dans un esprit de fraternité », peut laisser croire que
l'amour de l'autre, devenu légalement et de manière universelle un égal, est la valeur gagnante du combat qui l'oppose
à l'acte de charité, la mise en œuvre du mouvement humanitaire témoigne du contraire. Lieu de réalisation par excel-
lence du sentiment fraternel, il subit toujours les affres d'une
division entre l'amour contestataire et la charité « caution
d'un ordre établi ».Vulnérable, trop souvent dépendant du
bon vouloir des États, il devient l'instrument par procuration
d'une lutte d'influence dans un monde divisé en deux blocs.

Ainsi, par exemple, les États-Unis, marqués par le mac-
carthysme, sont effrayés par l'expansion du communisme
dans le monde, dont la pauvreté leur semble être le facteur
créateur. Partant de ce constat, ils engagent une lutte multi-
forme contre le communisme : d'une part ils tentent
d'affaiblir les mouvements révolutionnaires qui pourraient
déstabiliser leurs régions d'influence, d'autre part ils apportent un soutien politique et financier aux régimes autori-
taires. Le débarquement à Saint-Domingue en 1965 porte le
témoignage de ces ingérences politiques. Enfin, ils établissent des systèmes de charité, tels les *Peace Corps*, créés par le
président américain en 1961, afin d'endiguer les ravages de
la pauvreté ou, en tous cas, d'en atténuer les conséquences.
Ces événements marquent l'attention et l'intérêt du pouvoir
politique pour un mouvement humanitaire qu'il cherche à
maintenir sous son influence comme la demande du général
MacArthur faite à *Care*, en 1948, d'envoyer des colis en
Corée et au Japon, en présageait déjà les troubles amalgames.

De nombreuses interventions européennes en Afrique
sont assimilables à ces procédés dont, notamment, la création en 1964, par les pouvoirs publics français, de l'Association française des volontaires du progrès (AFVP), « créée
comme instrument complémentaire de leur dispositif de
coopération, dont le président en titre fut longtemps le
ministre de la Coopération lui-même »[1].

---

1. Christian Lechery et Philippe Ryfman, *Action humanitaire et solidarité internationale : les ONG*, Hatier, 1993.

L'humanitaire est alors un instrument politique pour l'État qui le manipule au même titre que la générosité de l'obole et des soins élémentaires témoignés aux gueux par les ordres religieux du Moyen Âge servait la stabilité de l'Église et des pouvoirs en place.

À l'opposé, les défenseurs d'une action humanitaire basée sur la seule conscience fraternelle, sur l'égalité reconnue des hommes entre eux, indépendante politiquement et financièrement des États ou des groupes de pressions, aboutissent, indirectement ou non, à réclamer, au nom de cet « amour révolutionnaire » qui les caractérise, un nouvel équilibre à l'échelle planétaire. Ils constituent une remise en cause permanente de l'ordre social établi.

L'abbé Pierre, qui fut poussé à la Résistance par la guerre et à l'humanitaire par la pauvreté rencontrée, crée Emmaüs en 1949 pour venir en aide aux abandonnés de la société en leur offrant un rôle et une nouvelle reconnaissance. La marginalisation qu'il côtoie au cours de ses actions le mène à critiquer de plus en plus sévèrement les systèmes économiques dominants. Se référant au terme de fraternité, qui est associé à la liberté et à l'égalité sur le frontispice de la République française, comme le garant d'une société qui aspire à être juste à défaut d'être égale et qui endosse le rôle de caution de sa respectabilité, il écrit : « C'est la pierre d'angle qui relie l'impératif de la liberté à l'aspiration de l'égalité [...] L'égalité contre la liberté a donné naissance à la société communiste égalitaire, c'est-à-dire au totalitarisme d'État. La liberté sans l'égalité, c'est le libéralisme qui produit une société individualiste et injuste [...] La fraternité implique un engagement libre des individus en vue d'une véritable équité sociale [...] La fraternité est un choix à la fois personnel et collectif qui se fonde sur la raison, qui respecte la liberté de chacun pour créer une société juste et harmonieuse. » En conséquence de cette analyse, l'abbé Pierre appelle à une remise en cause de l'ordre économique à l'échelle mondiale : « On ne peut pas vivre tranquillement chez soi en feignant d'ignorer l'extrême misère qui règne un peu partout hors de ses frontières [...] Notre attitude vis-à-vis des pays pauvres est terrible : nous leur donnons une petite aumône, mais nous ne voulons pas partager avec eux [...] Les sociétés les plus développées doivent s'ouvrir à la solidarité [...] Il faudra découvrir que l'argent, la réussite sociale, le travail lucratif ne sont pas l'essentiel dans la vie [...] La mondialisation nous contraint à construire enfin un monde fraternel. »[1]

Le ministre belge de la Justice, Tony Van Parys, semble exprimer un souhait semblable lorsqu'il affirme que « la prise de conscience croissante que tous les êtres humains sont égaux devrait faire naître, petit à petit, un esprit de fraternité entre les hommes »[2].

Avant ces discours et leurs constats d'échecs, l'impact de la Déclaration universelle des droits de l'homme insuffle à ses contemporains une vague d'optimisme débridé, comme si la seule énonciation d'une volonté commune des États d'atteindre à l'application d'idéaux universels suffisait à modifier irrévocablement l'ordre des choses jusque-là établi.

C'est l'époque où Garry Davis, ancien aviateur américain qui faisait partie de l'équipe dans laquelle furent tirés au sort les pilotes porteurs de la bombe atomique lancée sur Hiroshima, brûle son passeport américain, se déclare citoyen du monde et lance un mouvement[3] auquel se joignent nombre d'intellectuels et de personnalités tels Albert Camus, André

1. L'abbé Pierre, *Fraternité*, Fayard, 1999.

2. Extrait du Discours de Tony Van Parys, colloque du palais d'Egmont sur le 50ᵉ anniversaire de la Déclaration universelle des droits de l'homme, Bruxelles, 28/10/1998.

3. Le mouvement de « citoyen du monde » créé par Garry Davis, quoique ayant perdu en ampleur, se perpétue encore à l'aurore du XXIᵉ siècle. Il continue de fournir des passeports de citoyens du monde, seul document d'ailleurs utilisé par Garry Davis lors de ses nombreux déplacements internationaux. Pour lui, chaque tampon officiel appliqué par un agent de douane à l'entrée d'un pays, chaque visa obtenu est une bataille gagnée vers la légitimité de ce passeport de cette nouvelle « citoyenneté ».

Gide, André Breton ou l'abbé Pierre, afin de réclamer à l'Assemblée générale de l'Onu la constitution d'une assemblée mondiale constituante, abolissant toute souveraineté nationale, et exerçant un pouvoir mondial. Il entraîne nombres de villes françaises à proclamer leur « mondialisation » et convainc le président français, Vincent Auriol, de superposer à la sienne cette nouvelle citoyenneté.

C'est l'époque où la Convention européenne de sauvegarde des droits de l'homme et des libertés fondamentales est adoptée (4/11/1950). C'est l'époque où l'Assemblée générale de l'Onu crée une série de conventions qui reconnaissent les droits politiques des femmes, interdisent l'usage de la torture, définissent un certain nombre de garanties minimum pour le traitement des prisonniers ou interdisent le travail forcé (respectivement 20/12/1952, 23/10/1953, 30/08/1955 et 25/06/1957). C'est l'époque de la Déclaration des droits de l'enfant (20/11/1959).

C'est l'époque où se crée le Haut Commissariat des Nations unies pour les réfugiés (HCR)[1]. Celle où le jeune HCR, grâce à la Convention de Genève du 25 juillet 1951, donne forme aux déclarations de bonnes intentions des États, en apportant à toute victime des régimes communistes d'Europe centrale, et à travers eux à tous les réfugiés, l'assurance de ne « pas être refoulé de quelque manière que ce soit sur les territoires d'un pays où sa vie et sa liberté seraient menacées en raison de sa race, sa religion, sa nationalité, son appartenance à un groupe social ou de ses opinions politiques ». La notion de sexe viendra plus tard.

C'est l'époque où des organisations non gouvernementales (ONG) humanitaires s'investissent au-delà du seul engagement ponctuel face à un événement précis. L'aide au développement, conçue comme une aide à l'autonomie, se tourne vers l'amélioration de la santé publique, de l'alimen-

---

1. Le HCR remplace les défuntes Administration des Nations unies pour les secours et la reconstruction (UNRRA) et l'Organisation internationale pour les réfugiés (OIR).

tation et de l'hygiène. Elle dispense l'apprentissage de nouvelles techniques d'agriculture ou de construction aux pays
nouvellement classés sous la nomination de tiers-monde.

C'est l'époque où le mouvement de décolonisation s'installe en accès à l'indépendance. C'est celle de Martin Luther
King, alliant pacifisme et action pour une meilleure intégra-
tion des noirs aux États-Unis. Celle de John Fitzgerald Kennedy qui s'intéresse aux problèmes raciaux et sociaux. C'est
l'aurore hippie qui bientôt affirmera son désir de paix et
d'amour.

Malgré cette impression d'atmosphère printanière, un certain nombre d'intellectuels humanistes, dont l'attention est
probablement plus alertée par la guerre du Viêt-nam, la violence des Black Power ou le début de la Guerre froide, nécessaire défiance confirmée par l'assassinat de Kennedy et de
Martin Luther King, mais surtout fatigués et révoltés de toujours ouvrir les yeux sur un barbarisme d'État réel et occulté,
créent de nouveaux mouvements qui, se revendiquant de
l'humanitaire, prennent directement racine dans la Déclaration universelle en prônant la défense des droits qu'elle proclame sans se soumettre au bon vouloir des États.

Au Portugal, en 1961, alors que Salazar dirige depuis près
de trente années une dictature de fait et de fer qui réprime
systématiquement toute opposition intérieure, la condamnation à sept années d'emprisonnement de deux étudiants,
coupables d'avoir porté un toast à la liberté, motive l'appel
à l'amnistie lancé par un avocat britannique, Peter Benen-
son, membre de l'association *Justice* qui fait campagne pour
le respect des droits de l'homme. Le 28 mai 1961, il publie
« *The Forgotten Prisoners* » dans le journal *The Observer*, article
qui entraîne une campagne de presse internationale en faveur
des prisonniers d'opinion partout dans le monde. Connu
sous le nom d'Amnistie 1961, ce mouvement se transforme
en Amnesty International et acquiert pérennité et volonté
universelle de lutte en faveur de la liberté d'opinion.

À coups de lettres, de rapports et de dénonciations,

Amnesty International provoque les États. Elle joue de leur volonté de respectabilité pour les forcer, sous le poids d'une opinion publique alertée, à assumer les obligations auxquelles ils se sont liés en ayant ratifié la Déclaration universelle des droits de l'homme. Son engagement est défini à travers ses quatre principales revendications : « libération immédiate et inconditionnelle des prisonniers d'opinion, procès équitable dans un délai raisonnable pour tous les prisonniers politiques, abolition de la torture et de la peine de mort, fin des "disparitions" et des assassinats politiques »[1]. Les États sont mis face à leur responsabilité d'éradiquer de leur territoire toute pratique contraire aux droits de l'homme tels que ceux-ci sont définis par la Déclaration universelle. Outre la dénonciation auprès du grand public, l'association va peu à peu élargir son action en tentant, par exemple, de convaincre les décideurs économiques de ne plus investir là où les droits de la personne sont bafoués[2].

En 1965, Amnesty International est nommée consultante auprès du Conseil de l'Europe, accédant ainsi à une forme de reconnaissance internationale publique. En 1998, elle annonce plus d'un million de membres répartis dans 162 pays et territoires. Politiquement neutre, financièrement indépendante, Amnesty International ouvre la voie d'un nouveau mouvement humanitaire qui mobilise les masses.

Qualifiée quelques années plus tard « d'observatoire des droits de l'homme, nécessaire État dans l'État... (dans lequel) des croisés du droit d'ingérence luttent contre les égoïsmes gouvernementaux »[3], Amnesty International défend les libertés fondamentales de l'homme en tant qu'homme, indifféremment de toute autre considération,

---

1. Amnesty International, plaquettes et documents de présentation.
2. Voir à ce sujet « Amnesty International a changé sa stratégie, pas sa croisade », Pascal Martin, *Le Soir*, 10/12/1998.
3. Bernard Kouchner, *Le Malheur des autres*, Odile Jacob, 1991.

dans un contexte qui n'est pas limité à la guerre, aux soins médicaux ou à un pays déterminé.

Cette exigence d'une protection universelle, effective et réelle, des droits individuels reconnus dans la Déclaration de 1948, quels que soient les enjeux politiques des États qui s'y opposent, donne au mouvement humanitaire une nouvelle essence. Amnesty International va au-delà du combat de la Ligue des droits de l'homme et du citoyen, en étendant son territoire à la planète et en ne s'investissant pas d'un rôle politique *stricto sensu* sauf, et exclusivement, en ce que le politique dénie à l'individu le respect de ses droits fondamentaux et imprescriptibles.

Quelques années à peine après sa création, et la mobilisation de la presse au nom de la liberté d'opinion, une nouvelle situation de conflit et la violation massive des droits de la personne qui en découlent mettent à nouveau en échec le mouvement humanitaire. En janvier 1966, un coup d'État militaire renverse le pouvoir en place au Nigéria. Le chef de l'armée, de l'ethnie Ibos, prend le pouvoir et, en mai, abolit le système fédéral. Ces réformes, qui semblent favoriser les Ibos principalement ancrés dans le sud-est du pays, sont refusées par les provinces du Nord. Le président est assassiné par des militaires nordistes.

De nombreux civils de l'ethnie Ibos, d'un niveau de scolarisation particulièrement élevé et principalement de religion catholique, qui travaillaient dans le nord du Nigéria, originellement habité par une population musulmane de culture traditionnelle, sont eux aussi assassinés. Les Ibos réintègrent massivement leur province, riche d'un sous-sol pétrolifère et minier, d'où en mai 1967, sous la houlette du général Ojukwu, ils décrètent l'indépendance du Biafra. La guerre de reconquête commence.

En 1968, l'Onu déclare « l'année mondiale des Droits de l'homme ». La Déclaration universelle a vingt ans.

En 1968, la répression du Printemps de Prague signe la

faillite de la volonté tchécoslovaque de libéralisation de son régime, les intellectuels communistes perdent leurs illusions idéologiques, la jeunesse française abandonne ses barricades de mai.

En 1968, dans un contexte d'opposition Est-Ouest, les discours sur l'exploitation économique des peuples soulèvent toujours plus de passions que les violations des droits de l'homme.

En 1968, l'armée nigériane répond par une brutale répression à la volonté sécessionniste du Biafra et installe un blocus total. La population civile, prise en otage, meurt de faim.

L'Onu ne dispose pas des outils nécessaires à une intervention dans un conflit intérieur. La plupart des ONG alors existantes, tournées vers le développement, n'ont pas la structure nécessaire pour les interventions d'urgences. Le CICR, selon ses règles de fonctionnement, ne s'installe qu'avec l'autorisation du gouvernement du pays « hôte ». Cherchant un accord avec les deux parties en conflit, préservant sa neutralité, il se condamne à de longs mois d'immobilisme.

Le Nigéria et le Biafra tentent tous deux de négocier les termes d'une intervention humanitaire. Le général Ojukwu veut en obtenir le contrôle, car il a compris que, pour forcer à l'indépendance et à la reconnaissance internationale du Biafra, la meilleure arme dont il dispose c'est l'image de la famine. De son côté, le Nigéria craint la livraison d'une aide internationale qui atténue son blocus et peut servir de couverture à la livraison d'armes.

Face à ce qui leur semble une inertie, un groupe d'Églises catholiques et protestantes, réunies dans le *Joint Church Aid* (JCA) se lance dans l'envoi d'aide alimentaire, fournie au Biafra aux seules et pleines conditions du général Ojukwu. L'existence de cette « ingérence » du JCA poussera le Nigéria à accepter, comme « un moindre mal », l'intervention du CICR.

Le CICR envoie alors sur place un corps expéditionnaire

et prend en charge la coordination des secours organisés par l'Unicef, et quelques ONG tels Caritas ou Terre des Hommes. Certains gouvernements, sous le poids de l'opinion publique ou pour défendre des intérêts économiques (pétrole) ou politiques (guerre d'influence anglophone/francophone, Est/Ouest), eux aussi s'investissent. Le CICR s'évertue à remplir son rôle en conservant face au monde extérieur un silence immuable sur les conditions humaines ou les contraintes politiques rencontrées lors de ses interventions. Pourtant, parmi les médecins présents au Biafra, quelques Français refusent de rester silencieux. En désaccord avec l'engagement qu'ils ont signé auprès du CICR, ils décident d'alerter le monde. Considérant que le silence peut être coupable, Bernard Kouchner publie un article dans *Le Monde*, dénonçant « l'usage assassin du blocus alimentaire et du massacre systématique d'une population » [1].

Cette prise de position aura de nombreuses répercussions au sein du mouvement humanitaire et aboutira directement à la création de Médecins sans Frontières.

---

1. Bernard Kouchner, *Le Malheur des autres, op. cit.*

II

La rupture imposée par
Médecins sans Frontières

L'humanitaire, du fil du temps à l'aiguillon de la répression, s'est imposé dans nos structures sociales. Il a planté deux pieds sur terre, l'un marchant vers les hôpitaux, l'autre vers la réalisation d'une déclaration se voulant universelle. Le droit, aux soins et aux libertés fondamentales, sert de lien à ce corps encore frêle, respectueux des souverainetés nationales et n'agissant qu'en considération de la tolérance qu'elles lui témoignent. Le CICR sollicite directement l'accord des responsables du pays en cause, tandis que Amnesty International, malgré son pessimisme actif, compte sur le désir spontané des États, désignés à l'opprobre publique, de se débarrasser de cette mauvaise publicité, pour améliorer le sort des victimes. Pas d'intervention directe auprès des victimes pour Amnesty International, et pas de présence sans autorisation officielle pour le CICR.

La loi du silence est confrontée à sa propre agonie, la neutralité entre en phase de mutation
En 1968, M. Gaillard, sous-directeur du CICR, déclare : « La Croix-Rouge aide aussi bien les deux parties en présence sans juger ni l'une ni l'autre... Se taire pour durer et

donc agir. La publicité sur le terrain nuit à l'efficacité. »[1]
Entre 1968 et 1970, plus d'un million de personnes meurent
de la famine organisée au Biafra.

« On ne répéta pas assez que le Biafra était né des pogroms
des musulmans du Nord contre les chrétiens du Sud. L'oubli
arrangeait tout le monde, sauf les victimes [...] Les malheurs
invisibles se prolongent plus facilement, les consciences sont
en paix. (En étant) seuls, les Biafrais ne pouvaient agir. Éter-
nelle leçon : les victimes ont voix au chapitre à l'exclusion
de tout autre considérant [...] J'ai donc rendu public le massacre des Biafrais [...] J'étais un témoin, je sortais d'une
guerre effroyable, je parlais d'un peuple qui n'avait pas accès
aux médias [...] On m'accusa de parler de moi, c'est une
traîtrise habituelle chez les esprits faibles, ce furent les premiers quolibets sur la médiatisation et l'aventurisme [...] À la
fin de l'année 1968, de retour à Paris, je rencontrais surtout
l'indifférence occidentale, chacun, et pour longtemps, se
préoccupait de soi et de sa réussite [...] Les indifférents
avaient gagné, et les Biafrais perdu. »[2]

Face à cette tragédie, un groupe de médecins, parmi lesquels figurent Bernard Kouchner, Xavier Emmanuelli, Max
Récamier, Rony Brauman et Patrick Aeberhard, concluent
à l'urgence de créer de nouvelles structures, plus légères, aux
initiatives indépendantes, prêtes à intervenir dans les zones
de combat. La neutralité n'est plus envisagée comme une
obligation de silence ou une absence de prise de position
face à un conflit donné, mais comme découlant de la volonté
d'intervenir partout pour la cause de l'homme, quel que soit
le régime en question. Une intervention aux côtés d'une guérilla de droite dans un pays pourrait en quelque sorte être
« contrebalancée » par celle effectuée auprès d'un mouvement de gauche ailleurs. C'est de la diversité des lieux
d'actions alliée à la neutralité par essence de la victime

---

1. M. Gaillard cité par Georges Walter, « Suisse, les rouages de la neutralité »,
16/12/1968, repris dans *Les Cahiers de l'Express*, 1993.
2. Bernard Kouchner, *Le Malheur des autres*, op. cit.

comme à celle de l'acte médical que naît la neutralité politique, et non plus d'une absence d'opinion. « L'humanitaire n'est pas un pacifisme »[1], écrit Bernard Kouchner. Ce nouveau point de vue, selon lequel le devoir de soigner mais aussi de dénoncer les barbaries rencontrées relève d'une obligation morale, permet de s'engager pleinement dans le parti qui soit le plus digne d'être universel, celui de l'homme.

Ces médecins créent le Groupe d'intervention médical et chirurgical qui devient en 1971 Médecins sans Frontières (MsF), avec pour objectif d'agir, parler, soigner et témoigner. Ils refusent les frontières des États, des souverainetés nationales, du diplomatiquement correct, des lignes de conduite politique, du silence de la seule charité.

Ils viennent d'inventer le transfrontiérisme qui donne à l'humanitaire la liberté de mouvement et l'audace de l'imposer qui jusque-là lui faisaient défaut. Ils basculent massivement du côté de l'amour du prochain, quel qu'il soit, où qu'il soit.

Édifiante incompréhension : l'Ordre des Médecins comme la Croix-Rouge décrètent l'inutilité de MsF !

Illégalité et Justice

De ces principes découlent des bouleversements fondamentaux dans la façon de concevoir le rôle des ONG humanitaires, laquelle, emportée par ces nouvelles revendications, va très vite évoluer.

Il ne s'agit plus ni de se taire, ni de ne pas avoir d'opinion, ni même de se conformer aux lois existantes ou au bon vouloir des États. Les Droits de l'homme entrent en résistance. Si l'action humanitaire est « depuis et pour toujours, une forme de révolte contre l'inacceptable »[2], « les droits de l'homme, (eux), se définissent comme une contestation per-

---

1. Bernard Kouchner, *Le Malheur des autres, op. cit.*
2. Alain Destexhe, *L'Humanitaire impossible, op. cit.*

manente de l'action politicienne et de la raison d'État »[1]. Cependant, le droit établi afin de combler « les lacunes apparues au cours des conflits précédents, alors que la nature des conflits a complètement changé », ne serait tout au plus que « l'expression d'un rapport de force antérieur, souvent dépassé ou muet », sa production étant par nature plus « réactive que préventive »[2]. Dès lors, il semble qu'il importe, « pour venir en aide à un être humain sans toit, sans pain, sans soin, de savoir braver les lois. La loi n'est respectable que si elle inculque la notion de bonheur à vivre ensemble [...] Il y a ceux qui violent la loi en affirmant : la loi est en retard, elle est injuste. Ils la violent pour qu'elle se dépasse [...] L'illégal devient légitime »[3]. D'ailleurs « Il faut des lois pour pouvoir les transgresser [...] Les juristes sont toujours en retard d'un train, on doit les pousser pour qu'ils courent et rattrapent ce train. »[4]

Pour se permettre cet appel à la révolte, cette exigence de justice imposée par des moyens parfois illégaux, le mouvement humanitaire a dû non seulement s'affranchir de toutes dépendances financières vis-à-vis des États mais aussi se préparer à affronter les ripostes de ses opposants. La vie, la liberté des « transfrontiéristes » deviennent moyens de pression, signature de répression.

Pénétrant de plus en plus profondément au cœur des combats, des médecins sont kidnappés, emprisonnés, assassinés, non pour ce qu'ils font mais pour ce qu'ils représentent. Offrir aux opprimés l'accès à la conscience des droits de la personne n'est pas souhaitable pour tous les gouvernements ni toutes les guérillas. Ainsi en fut-il du docteur Augoyard, médecin envoyé illégalement en Afghanistan par Aide médicale internationale (AMI). Il y exerça sa profession sous la protection des Moudjahidins. En 1983, il est capturé par les

---

1. Bernard Kouchner, *Dieu et les Hommes*, Robert Laffont, 1993.
2. Alain Destexhe, *L'Humanitaire impossible*, op. cit.
3. Abbé Pierre, *Dieu et les Hommes*, op. cit.
4. Bernard Kouchner, *Dieu et les Hommes*, op. cit.

Soviétiques et condamné pour espionnage à huit années d'emprisonnement. Il eut la chance d'être libéré quelques mois plus tard. Chance que n'eurent pas d'autres volontaires de l'humanitaire, assassinés par des musulmans fanatiques effrayés par la trop grande influence que les médecins, symbole des droits de la personne et de la démocratie, avaient acquise auprès des villageois qu'ils s'efforçaient de soigner depuis tant d'années de combats.

Le maquis, investi par les résistants de l'humanitaire, rassemble des combattants d'un idéal, d'une idée de l'homme, d'un souci constant de la justice. Loin d'être utopistes, ils sont conscients, jusqu'à en risquer leur vie, du barbarisme humain qu'ils s'acharnent à atténuer. L'action humanitaire plonge ses racines dans les charniers des guerres napoléoniennes à ceux d'aujourd'hui. Elle est née d'esprits lucides confrontés au barbarisme.

« L'action humanitaire, c'est d'abord une indignation, puis une obstination, enfin une méthode. Elle s'applique aux grandes catastrophes comme aux petites misères », écrit Bernard Kouchner qui précise : « Chacun est capable d'éradiquer un groupe humain quand il est pris dans la logique de guerre, dans l'affirmation de sa virilité... Je crois le mal absolu, permanent, constant. Je m'attends au pire. Ce pessimisme actif est indispensable à ma survie. Je ne compte pas sur la rencontre du bien, si je le trouve sur ma route, tant mieux, mais je vis et agis sans certitude. Il faut se préparer à côtoyer le mal d'abord, partout, sinon ce monde serait invivable. »[1] Philippe Biberson, actuel président de MsF-France, parle de « l'humanitaire de la révolte »[2].

Toute l'histoire de l'humanitaire s'inscrit dans cette confrontation d'intolérables réalités et de consciences humaines. Taxer le mouvement d'utopie est une falsifica-

---

1. Bernard Kouchner, *Dieu et les Hommes, op. cit.*
2. Philippe Biberson cité par J.-P. dans « Un Nobel de la paix pour les médecins de la guerre », *Libération,* les 16 et 17/10/1999.

tion, simple moyen de s'en débarrasser en le passant aux oubliettes des rêveurs infantiles, afin de donner bonne conscience aux passifs en tous genres.

Indépendance financière et dérapages médiatiques

Une autre attaque que subit régulièrement l'action humanitaire, au sein même des « pays démocrates » qui en sont le berceau, c'est le discrédit et la dérision portés sur ses principaux protagonistes, figures emblématiques d'une réalité que certes ils portent mais avec laquelle ils ne se confondent pas. De cette façon, on détourne l'attention du public du sujet en question pour la focaliser sur les acteurs de l'humanitaire, facteurs secondaires, en ce qu'ils peuvent présenter comme faiblesses.

L'extrême pouvoir des médias télévisés joue un rôle important dans ces dérapages des vrais conflits de l'humanitaire vers les petites guerres intestines de personnes.

En voulant s'affranchir de toutes dépendances vis-à-vis des États, les associations humanitaires se sont tournées vers le public pour obtenir à la fois sa protection morale et les fonds nécessaires à leur fonctionnement. Pour toucher ce public, elles devaient l'informer et le sensibiliser à des situations rarement visibles dans son quotidien. La solution passait donc par le recours au marketing et aux médias. Les campagnes publicitaires par voie d'affichage, sollicitant des subventions pour les grandes associations caritatives, datent de la fin de la Seconde Guerre mondiale. La Croix-Rouge, pendant l'entre-deux-guerres, y avait déjà eu recours dans un but promotionnel mais n'appelant pas alors directement à la récolte de fonds. En 1954, l'abbé Pierre utilise la radio pour susciter la générosité populaire. Dès sa création, Amnesty International trouve dans la diffusion de l'information le moyen même de son action. Seul le CICR, hors de sa promotion générale, se maintient, avec les contestations que cela suscite, à sa voie de silence. Subventionné par les

États, ce silence total lui permet de conserver son indépendance face aux choix de ses actions.

Parallèlement la presse écrite des pays démocrates s'affranchit elle aussi des pressions des gouvernements. Petit à petit, elle devient plus libre. C'est donc naturellement que l'organisation Médecins sans Frontières, rapidement suivie par une majorité des associations humanitaires indépendantes des mouvements politiques ou religieux, s'est tournée vers la presse comme vers un relais nécessaire entre elle et le public, entre elle et son soutien moral autant que financier [1].

« L'ennemi essentiel des dictatures et des sous-développement reste la photographie. Acceptons-la sans nous résigner, c'est la loi du tapage, servons-nous d'elle... Les interventions doivent s'imposer par la force de l'insoutenable, ce remords des pays riches. Le poids de l'opinion publique est le seul élément que les hommes politiques ne négligent jamais » [2], écrit le fondateur de MsF.

Les images des enfants du Biafra mourant de faim furent les premières à envahir les nouveaux petits écrans disséminés dans les foyers. Le choc provoqué ne fut malheureusement pas suffisant pour arrêter la machine en marche au Nigeria, où les enjeux économiques liés au respect voué à la souveraineté nationale étouffèrent toute velléité de réel plan de sauvetage. Il fut en revanche suffisant pour que la télévision comprenne, elle, les ressources qu'elle pouvait puiser dans les messages humanitaires.

De là naquit une situation ambivalente entre les associations humanitaires, toujours sur place où l'actualité est « chaude », disposant de réseaux d'informations souvent fiables et développés, ayant besoin de la presse comme relais

---

1. Ainsi, par exemple, lorsque, en juin 1996, différentes stations de radios belges s'associent pour lancer un appel en faveur des réfugiés du Kosovo, elles récoltent rapidement près d'un milliard de francs belges, qu'elles répartissent ensuite entre diverses ONG, accroissant d'autant l'efficacité de ces dernières.

2. Bernard Kouchner, *Le Malheur des autres*, *op. cit.*

entre elles et le public, de plus les médias tendant à délaisser le journalisme d'enquête au profit de l'immédiateté, de plus en plus avides d'audience, et privilégiant souvent le sensationnel au détriment d'une information documentée. Cette ambivalence est à l'origine de documentaires humains, instructifs, informés mais aussi de shows mis en scène comme un grand spectacle de cirque. Touchant à la douleur humaine, ces montages télévisuels choquent et jettent le discrédit sur les acteurs de l'humanitaire que la télévision semble avoir transformés, malgré eux ou non, en vedettes médiatiques.

Plus grave encore, l'humanitaire mis en spectacle risque dès lors de sortir de son rôle essentiel de dénonciation, donc de conscientisation du public, pour aboutir à un résultat totalement antinomique. Par un étrange paradoxe, la visualisation de l'intervention humanitaire peut avoir d'importants effets négatifs. En se voyant assurés que quelqu'un, à leur place, s'occupe des « inévitables misères du monde », les téléspectateurs satisfont leur bonne conscience sans avoir à accomplir le moindre acte ou, sous le poids de tant de misère, abandonnent toute volonté de changement, s'attristant plus que se révoltant, fatalistes plus que responsables.

Au mieux, « la compassion tend à se dégrader en apitoiement plutôt qu'en exigence de justice, l'information dérangeante est remplacée par la communication toujours consensuelle »[1], comme l'écrit Rony Brauman, ancien président de MsF ; au pire, les victimes comme les téléspectateurs perdent toute qualité d'humanité, ils sont « déshumanisés ». Le cadavre présenté par l'image est réduit à un simple témoignage factuel d'une actualité lointaine, la douleur de l'affamé ou de l'orphelin, n'étant pas une réalité accessible, n'éveille que sentiment d'impuissance ou de lassitude. Quant aux victimes qui ne sont pas découvertes, pas montrées par la caméra, on leur dénie jusqu'à leur existence.

---

1. Rony Brauman, *L'Action humanitaire*, Flammarion, 1995.

Face à ces perversités de l'information, le débat glisse du sujet traité vers l'opportunité de le divulguer, créant une dangereuse confusion. Rien ne nécessite que l'action humanitaire soit silencieuse, c'est même, au risque de devenir complice ou de tomber en totale déconfiture, une situation qu'il faut éviter. Que certains journalistes manquent parfois de dignité ou de compétence, certes, que l'action humanitaire gagne en efficacité en impliquant le public par voie de presse est également incontestable.

Lorsque, au début des années 90, Saddam Hussein s'attaque au peuple kurde d'Irak, ce sont les images diffusées par les télévisions à l'initiative des associations humanitaires qui, témoignant de l'assassinat en marche, mobilisent l'opinion internationale, poussant alors l'Onu à assumer son rôle et à envoyer des troupes pour garantir la protection d'une population sous menace de génocide. L'objectif humanitaire a atteint son but grâce au rôle intermédiaire et clairement fondamental des médias, comme ceux-ci ont pu remplir le leur, lors de la guerre en Afghanistan, grâce aux réseaux d'information et à la présence clandestine sur place d'associations humanitaires, témoins d'une réalité à laquelle la presse n'avait pas facilement accès.

« Les journalistes et les humanitaires ont entamé un dialogue heurté et entrepris des expéditions communes. Ils se retrouvent ensemble [...] Seuls les politiques ne savent pas encore que le mouvement les emporte... »[1], écrit Bernard Kouchner qui affirme : « Autant qu'aider, il faut témoigner. Sans paroles, sans images, pas d'indignation... Une guerre, une famine, une misère oubliées iront jusqu'à leur terme tragique. On risque moins de mourir sous l'œil des caméras. »[2]

Alors peu importe qu'il soit filmé avec un sac de riz sur une plage de Somalie si, lorsqu'il y a volonté de symbolisme utilisant la mise en scène, elle est présentée comme telle,

---

1. Bernard Kouchner *Le Malheur des autres, op. cit.*
2. Bernard Kouchner, *Dieu et les Hommes, op. cit.*

illustrant l'implication concrète et presque directe des
enfants ayant participé à l'opération, témoignant d'une
action de plus grande envergure.

L'honnêteté, valeur trop souvent négligée, est le corollaire
indispensable à la crédibilité de l'action humanitaire comme
à celle de l'information, donc à leur efficacité.

Il y aura encore certainement des dérapages. Mais si les
médias tentent objectivement de refléter une situation réelle,
si les humanitaires eux-mêmes présentent les réalités
concrètes pour ce qu'elles sont, si tous deux relèvent le défi,
jusqu'à présent réfuté, d'expliquer les complexités plutôt que
toujours simplifier, de faire un peu plus confiance à l'intel-
ligence du public à l'écoute, alors ces nécessaires liens qui
unissent presse et humanitaire ne seront plus source de discrédit mais alliance bénéfique marchant vers leur devoir
commun de dénonciation.

« Le pire ennemi de l'oppression, c'est la presse libre, c'est
la photographie, c'est la parole. Et l'humanitaire... Sans
films, sans témoignages... on n'en serait pas à l'application
de résolutions sur la protection armée des convois humanitaires, ni à la création pour la première fois depuis Nurem-
berg d'une procédure internationale qui condamnerait les
actes individuels de violations des droits de l'homme »[1],
affirme Bernard Kouchner.

Quant à l'abbé Pierre, invoquant l'effet de contagion,
écrit : « La bonté entraîne la bonté. »[2] De même que la nouvelle « politique historique » des grandes productions ciné-
matographiques pourrait utilement contribuer à remplacer
Buffalo Bill par Sitting Bull[3] dans l'imaginaire héroïque des
enfants, la médiatisation de « l'homme-humanitaire » pourrait susciter de nouvelles vocations. Le rôle de la média-

---

1. Bernard Kouchner, *Dieu et les Hommes*, op. cit.
2. Abbé Pierre, *Fraternité*, op. cit.
3. Guerrier sioux mais aussi homme de paix, assassiné en raison de sa lutte
pour la survie de son peuple, le 15 décembre 1890, une quinzaine de jours avant
le massacre de Wounded Knee.

tisation n'est donc pas uniquement cantonné dans la dénonciation mais pourrait également servir de facteur valorisant
des actions et des hommes qui les mènent.

« Transfrontiérisme » de l'ingérence et revendication du libre accès aux victimes

Réfutant le principe de souveraineté nationale lorsqu'il
sert de protection au barbarisme d'État, Médecins sans
Frontières entre clandestinement dans les pays qui lui refusent l'accès.

Travaillant dans l'ombre, secourant les victimes souvent
innocentes, toujours sans défense, les médecins sans frontières font de leur blouse blanche un étendard des droits de
la personne, du bistouri un outil de lutte contre le barbarisme. Traquant les violations sourdes ou publiques, mais
toujours physiques, des droits humains, ils prennent le
chemin de la clandestinité tracé par Amnesty International
en le prolongeant jusqu'à l'intervention directe auprès des
victimes. Ils tentent de cautériser eux-mêmes les plaies et
dénoncent avec virulence les violations les plus graves des
droits de la personne. Ils jettent à l'opprobre publique les
gouvernements responsables, renvoyant les politiques à leurs
responsabilités internationales. Inspiré par ses prédéces-
seurs, ce mouvement humanitaire sans frontières y ajoute
l'audace d'imposer son sens de la justice, fût-il illégal à un
niveau national mais dont la base juridique réside dans les
instruments ratifiés par la communauté internationale.

Alors que le CICR tire sa neutralité de sa nationalité suisse
liée à son immuable silence et sa légitimité du respect des
lois internes et de « l'accueil officiel » du pays hôte, le mouvement humanitaire transfrontiériste, tel que l'a créé MsF,
base sa neutralité sur l'éthique par nature internationale des
médecins et sa légitimité sur le droit de répondre médicale-
ment à la souffrance des autres, de les secourir. Il invoque
l'obligation morale et légale des pays de se conformer aux
règles juridiques internationales auxquelles ils ont adhéré,

dont en priorité la Déclaration universelle des droits de l'homme qui établit « le droit à la vie, la liberté et la sûreté de sa personne... l'interdiction de la torture et traitements cruels et inhumains... le droit à la liberté de pensée, de conscience, de religion, d'opinion et d'expression » (extraits des articles 3, 5, 18 et 19 de la Déclaration universelle des droits de l'homme, 1948). Au nom de cette norme juridique internationale, le mouvement humanitaire transfrontiériste viole les frontières et les interdits des États s'opposant à son action.

Les nombreux conflits qui éclatent un peu partout dans les années 1975-1980, ensanglantant le monde de l'Angola au Salvador, du Cambodge à l'Afghanistan ou du Sri Lanka à l'Éthiopie, servent de terrain d'essai, inopportunément nécessaire, à ce nouveau mouvement farouchement engagé dans le parti de l'homme.

Face à ces foyers d'intense violence, le mouvement humanitaire viole les frontières d'autant plus lestement que les conflits internes se révèlent souvent être le fruit d'un combat Est-Ouest déplacé sur un autre terrain. Certains États ayant déjà ouvert eux-mêmes leur souveraineté à l'aide militaire étrangère, communiste pour l'Angola, l'Afghanistan, la Somalie ou l'Éthiopie, ou anti-communiste, il semble d'autant plus justifié de pouvoir également s'y immiscer. « Tous ces pays se situent au centre de l'affrontement planétaire qui se déroule par procuration dans le tiers-monde ; 90 % des réfugiés de cette époque fuient des régimes "progressistes" alliés à l'URSS. Il suffit de regarder la carte mondiale des implantations du HCR, du CICR ou de MsF pour voir combien l'action humanitaire est liée au conflit Est-Ouest[1]. »

L'invasion de l'Afghanistan par l'Union soviétique en décembre 1979, plongeant le pays dans une guerre de résistance et de maquis qui dura plus de dix ans, faisant près

---

1. Alain Destexhe, *L'Humanitaire impossible, op. cit.*

d'un million de morts et poussant plusieurs millions de personnes sur les routes de l'exil, fut probablement le lieu le plus symbolique de l'action humanitaire clandestine. À dos d'âne ou à pied, les médecins de MsF s'enfoncèrent dans les collines, au risque permanent d'être les victimes de l'une des nombreuses attaques perpétrées contre les habitants qu'ils tentaient de soigner. Allant là où très peu de journalistes ou autres témoins étrangers osaient pénétrer, ils contribuèrent, probablement plus par ce combat que par tous les autres, à imposer la légitimité de l'action pourtant illégale des *french doctors*.

Face à tous les conflits internes, le CICR, ancré principalement dans des normes juridiques tirées du droit de la guerre, donc de la guerre entre États, ne se révèle pas toujours adapté. L'Onu, prise au piège de la guerre froide, est privée de l'unanimité nécessaire aux opérations de maintien de la paix qu'elle est censée assumer. Le HCR, confronté à l'explosion du nombre de réfugiés, passant de 3 millions en 1977 à 11 millions en 1983[1], et au mouvement parallèle de fermeture des frontières, se trouve plongé en pleine crise financière.

Le mouvement transfrontiériste s'impose donc aux institutions internationales comme une nouvelle réalité, obligatoire et nécessaire. Toutes les innovations qu'il entraîne ont un impact direct sur les organisations préexistantes. Les Nations unies, sous son influence, évoluent, allégeant les procédures, adaptant les règles juridiques. Le CICR interprète de manière de plus en plus large son « droit d'initiative » prévalant au choix de ses actions, intervenant notamment dans les camps de réfugiés palestiniens dont la souveraineté est pourtant encore très largement contestée.

---

1. Le nombre de réfugiés atteindra 18 millions au début des années 90 pour redescendre à 13 millions en 1997 mais si l'on y ajoute les « personnes déplacées », terme qui couvre les populations réfugiées à l'intérieur de leur propre pays, ce chiffre s'approche de 50 millions à la veille du XXIe siècle ! (Source : « HCR, les réfugiés dans le monde », cité par G. d'Andlau, *L'Action humanitaire, op. cit.*).

Le HCR est contraint de faire de plus en plus souvent appel à l'aide d'ONG sans frontières.

Alors que jusque-là seuls les gouvernements disposaient de l'opportunité de faire appel ou non à l'aide internationale, les *french doctors* légitimisent leurs actions en proclamant le droit des victimes d'être secourues lorsqu'elles le souhaitent, indépendamment de la volonté de l'État qui les gouverne.

La neutralité de la victime, reconnue par les conventions de Genève sous l'impulsion d'Henri Dunant à la fin du XIXᵉ siècle, est sortie des situations de guerre entre États, et prolongée en temps de paix comme l'effacement d'une conception féodale de la nationalité qui faisait d'un citoyen la propriété de l'État dont il est ressortissant.

En tant que personne comme en tant qu'être souffrant, toute victime est partie intégrante d'une humanité globale, elle y trouve et en tire son universalité. Ni elle ni la souffrance que lui impose l'État ne sont propriété de cet État. Dès lors, toute victime de violence, que celle-ci soit directe ou indirecte – comme le sont les conséquences d'une famine organisée –, dispose du droit inaliénable d'être secourue. Tout être extérieur, œuvrant dans un souci de protection universelle des personnes, a le droit de se mêler des conditions dans lesquelles ces souffrances furent imposées, comme des moyens d'y remédier.

La souveraineté nationale n'est plus un blanc-seing pour les génocides, les tortures ou les assassinats. La couverture, que cette souveraineté représentait, est partiellement dégagée, déchirée. Des témoignages tel celui du médecin légiste Clyde Snow apporte la confirmation factuelle de l'urgence d'imposer cette nouvelle conception : « Les grands assassins de notre époque n'ont guère fait que quelques centaines de victimes. En revanche, celles des États qui ont décidé d'assassiner leurs propres citoyens peuvent généralement se compter à la pelle. En ce qui concerne le mobile, l'État peut se considérer comme unique : car lui tue ses victimes pour une parole imprudente, une pensée fugitive, ou même un simple poème. »[1]

L'action humanitaire revendiquée n'est pas envisagée comme imposée de l'extérieur mais comme répondant à un souhait légitime des populations « victimisées ». Ainsi Bernard Kouchner interroge : « Pourquoi les États auraient-ils le droit de massacrer leur propre peuple ou d'envahir leurs voisins ?... En ces matières, il n'y a que les victimes qui ont droit à la parole, j'en ai rarement vu qui n'appellent pas à l'aide. »[2]

Alliés à des juristes, des philosophes, des artistes maniant les pétitions[3], les *french doctors* ne cessent de revendiquer le libre accès aux victimes. Trois associations pionnières, MsF, AMI et Médecins du Monde (MDM), sont rassemblées autour de ce combat commun. En 1987, un colloque mené par le juriste Mario Bettati définit le devoir d'ingérence comme le droit d'intervenir, malgré les frontières et les États, si des hommes souffrant appellent à l'aide.

Le 8 décembre 1988, l'Assemblée générale des Nations unies, dans sa résolution 43/131 sur le nouvel ordre humanitaire mondial, « considérant que le fait de laisser les victimes de catastrophes naturelles et de situations d'urgences du même ordre sans assistance humanitaire représente une menace à la vie humaine et une atteinte à la dignité de l'homme » reconnaît le droit d'assistance humanitaire, la nécessité du libre accès aux victimes et, tout en rappelant la priorité des États pour fournir l'aide nécessaire, consacre le rôle des ONG qui, conformément aux buts des Nations

---

1. Clyde Snow, médecin légiste ayant participé à l'exhumation et à l'étude de restes humains pour mettre en lumière les actions commises par des agents de l'État en Argentine, en Bolivie, au Chili, et au Guatemala, cité dans *Amériques, les droits bafoués des populations indigènes*, Amnesty International, Éditions Francophones, 1992.

2. Bernard Kouchner, *Dieu et les Hommes, op. cit.*

3. Parmi eux, furent particulièrement actifs, Simone Signoret, Yves Montand, André Gluksman...

unies, « encouragent le respect des droits de l'homme et des libertés fondamentales ». Ces mêmes termes sont employés le 14 décembre 1990 dans la résolution 45/100 de l'Assemblée générale sur l'assistance humanitaire.

Ils sont à nouveau en partie utilisés lors de la Résolution 688 du Conseil de sécurité de l'Onu qui traite de la situation des Kurdes d'Irak en 1991.

Au lendemain de la guerre du Golfe, l'opinion publique occidentale, qui avait été bercée par la conviction d'être vainqueur d'une guerre juste, découvre les limites d'une guerre aux motivations prioritairement économiques. Après avoir libéré les puits de pétrole du Koweit, et malgré l'appel lancé aux Irakiens par le président américain Georges Bush le 15 février 1991 de se défaire de leur leader, le retrait des armées engagées dans la guerre du Golfe abandonne au toujours président irakien Saddam Hussein le sort des populations kurdes du Nord et chiites de la région de Bassora qui se sont soulevées contre lui, ainsi que celui des déserteurs de son armée et des opposants à son régime.

Sous la pression des dénonciations faites par les humanitaires, avec les rapports accablants publiés par les journalistes témoignant des massacres de populations kurdes et de leur mise en marche forcée vers un étau qui les capture, rejetés de tous, le monde occidental découvre des familles par milliers prisonnières des montagnes, des frontières qui prennent physiquement le visage de ces êtres condamnés. Un nombre important de cadavres jalonnent déjà leur chemin de fuite. Pour les autres, ils se trouvent confrontés à une situation sans issue : la Turquie ne veut pas les laisser entrer de peur de renforcer sur son territoire cette communauté et son parti révolutionnaire PKK qu'elle combat activement. L'Iran ouvre ses frontières mais place les « camps de réfugiés » sous un sévère contrôle politique. L'Irak, qui à peine quelques années auparavant, en mars 1988, avait utilisé des bombes chimiques, laissant Halabdja pétrifié dans la mort, des milliers de corps momifiés, à nouveau massacre le peuple kurde.

Le 5 avril 1991, le Conseil de sécurité des Nations unies reconnaît le droit d'ingérence par sa résolution 688 qui permet la mise en place de l'opération *Provide Comfort*. Une zone de sécurité est militairement créée, interdisant sur le sol irakien l'accès aux forces irakiennes, offrant le soutien logistique de l'armée afin de permettre le retour des Kurdes d'Irak chez eux.

Les Chiites, victimes d'une image médiatique moins populaire dans les pays occidentaux, et d'une forme de « diabolisation » de leur religion à un niveau politique, mourront dans l'indifférence générale.

Quoique étant de portée restreinte dans le temps et dans l'espace, cette résolution du Conseil de sécurité renforce celles de l'Assemblée générale dans leurs affirmations que, d'un point de vue international, les États non seulement ne bénéficient pas du pouvoir inaliénable de massacrer leurs peuples mais ne sont désormais plus légalement les seuls à pouvoir appeler à l'aide.

La victime acquiert une personnalité juridique internationale. Les actions des médecins sans frontières sont légitimées. Les pourfendeurs de lois injustes ou inadaptées ont fait évoluer le droit international. Non seulement l'accès aux victimes est devenu un droit, auquel l'État ne peut s'opposer, mais il tend même à devenir un devoir, calqué sur le délit de « non-assistance à personne en danger » reconnu dans de nombreuses législations internes de pays démocrates.

Ainsi, dans une conférence tenue à la Sorbonne en 1989, le président français François Mitterrand, déclare : « Le principe de non-ingérence s'arrête à l'endroit précis où commence le risque de non-assistance. »[1]

« Nous avons inventé l'ingérence en étant au plus loin de la loi pour être au plus près des hommes [...] J'ai bâti mes

---

1. François Mitterrand cité par Mario Bettati dans « Sur terre comme sur mer », 14/07/1989, repris dans *Les Cahiers de l'Express*, *op. cit.*

deux associations, MsF et MDM sur l'illégalisme [...] Ne pas respecter les frontières, ne pas accepter le serment du silence [...] Mais il est encourageant que cet illégalisme que nous avons pratiqué se soit transformé en loi internationale, en droit d'assistance, en résolution des Nations unies [...] Le moteur du changement, c'est toujours l'illégalisme en tant que refus de la loi injuste »[1] écrit Bernard Kouchner.

Au regard du premier manifeste publié par la Ligue des droits de l'homme le 17 juin 1898, qui annonçait « travailler dans la mesure de ce que ses moyens lui permettent, c'est-à-dire à l'abri des lois du pays »[2], l'audace acquise et affirmée par le mouvement humanitaire est significative. Elle rejoint les propos d'André Gide qui écrivait : « Le monde ne sera sauvé, s'il peut l'être, que par des insoumis. Sans eux, il en serait fait de notre civilisation, de notre culture, de ce que nous aimions et qui donnait à notre présence sur terre une justification secrète. Ils sont, ces insoumis, le "sel de la terre" et les responsables de Dieu. »[3]

1. Bernard Kouchner, *Dieu et les Hommes, op. cit.*
2. Premier manifeste de la Ligue (17/06/1898), publié dans *Hommes et Liberté, op. cit.*
3. André Gide, *Journal 1942-1949*, Gallimard.

III

Développement de la protection humanitaire

Le mouvement déclenché par MsF entraîne de nombreux émules qui, au début des années 80, s'installent dans le paysage associatif des pays démocrates. Tous s'engagent à agir sans discrimination politique, idéologique, religieuse, raciste ou sexiste, partout, quelles que soient les frontières, là où des hommes ont besoin d'eux.

Explosion de l'humanitaire médical

En 1979, à l'initiative de quelques médecins et infirmières, dont certains étaient présents au Biafra, se crée Aide médicale internationale (AMI). Tournée principalement vers la formation médicale locale, se gardant d'imposer un modèle occidental qui ne respecterait pas les coutumes ou les mentalités locales, AMI participe également à la réhabilitation ou à l'installation des structures médicales et sanitaires. L'association, qui fonctionne quasi exclusivement sur le mode du bénévolat, se targue de « travailler pour le tiers-monde et non pas de vivre du tiers-monde ». Ces « médecins aux pieds nus » proclament que « le droit universel de soigner, comme d'être soigné, ne connaît pas de frontières ». AMI s'engage à « porter secours aux populations civiles démunies, menacées ou délaissées sur le plan sanitaire, victimes de catastrophes naturelles ou de situations de conflit ».

Elle s'avance timidement dans la voie tracée par MsF en affirmant « prendre parfois le risque de travailler dans la clandestinité... non par choix mais par obligation », et si l'un de ses membres « peut être amené à témoigner d'une violation des droits de l'homme, le témoignage ne peut être la finalité de la mission »[1].

En 1979 également se crée Action internationale contre la faim (AICF), devenue depuis Action contre la faim (ACF), qui lutte contre la faim dont « l'existence même représente une insulte à la dignité de l'être humain que nous ne nous résignerons jamais à accepter... Comment accepter qu'il y ait à travers le monde 800 millions de mal nourris, 30 millions de victimes de la faim, alors que la production alimentaire n'a jamais été aussi abondante et permettrait de nourrir l'ensemble de l'humanité ?... Plus que jamais, qui contrôle la nourriture détient le pouvoir »[2]. ACF combat particulièrement la création volontaire et l'utilisation des famines comme arme de guerre. Elle dénonce la prise en otage des populations civiles dans lesquelles les enfants sont les premiers à mourir et elle intervient directement auprès des victimes par la mise en place de système d'aide nutritionnelle.

Suite à des dissensions sur l'opportunité de la mission *L'Île de lumière*, bateau hôpital destiné à secourir des *boat people*[3] sous l'œil attentif des caméras, MsF éclate. En 1980, les fondateurs de MsF, partisans de cette mission, quittent l'association et créent Médecins du Monde (MDM).

---

1. Charte de l'AMI, extraits.
2. ACF, interventions, décembre 1999.
3. Les *boat people* qui fuient le régime communiste du Viet-nâm, sont les victimes des garde-côtes, des passeurs qui les dépouillent et des pirates qui massivement les volent, les violent et les tuent. Confrontés à l'important nombre de réfugiés qu'ils représentent, les pays prennent peur et nombre d'entre eux ferment leurs frontières. *L'Île de lumière*, dont l'équipage est composé de médecins et de journalistes, recueille, soigne, et diffuse à l'échelle mondiale et dans l'instantanéité des images la condamnation du régime communiste du Viet-nâm et l'égoïsme inacceptable des pays qui rejettent les *boat people* à la mer.

D'autres associations axées sur le domaine médical, para-médical ou alimentaire, tentant de travailler en complémentarité avec celles existantes, se développent dans le cadre de cette conscience nouvelle du droit universel et du devoir fraternel. Confrontée « au dénuement et au besoin en appareillages de milliers de personnes handicapées du Cambodge, réfugiées à la frontière thaïlandaise »[1], Handicap International apparaît en 1982. Ayant depuis étendu ses actions au reste du monde, elle allie assistance aux victimes, formation de thérapeutes, dénonciations et lobbying international contre l'usage des mines antipersonnel. Handicap International met en avant les effets ravageurs que ces mines provoquent sur les populations civiles, y compris des années encore après la fin des hostilités qui ont servi de prétexte à leur utilisation. L'association est co-prix Nobel de la Paix décerné à la Campagne internationale contre les mines antipersonnel en 1997.

Pharmaciens sans Frontières vient, parmi d'autres, compléter ce paysage.

Universalisation et spécification de l'action humanitaire

Petit à petit, le transfrontiérisme humanitaire tourne son regard critique vers ses origines. Il prend alors conscience que les « pays démocrates » dans lesquels il est né peuvent également être source de besoins spécifiques ou de violations des droits de l'homme. Amnesty International n'a jamais occulté cette réalité, publiant des rapports de dénonciation à chaque fois que les violations des droits de l'homme le justifient, fût-ce dans des pays d'Europe occidentale ou d'Amérique du Nord. Ainsi, par exemple, dans son combat contre la peine de mort, Amnesty International écrit en 1992 : « Plusieurs études réalisées aux États-Unis ont laissé entendre que la peine capitale était appliquée de façon dis-

---

1. Handicap International, « Le Tour du monde des actions », revue n° 62, troisième trimestre 1999.

criminatoire : les homicides ayant pour victime un Blanc étaient plus susceptibles d'engendrer une condamnation à mort que ceux dont la victime était membre d'une minorité ethnique. »[1] Dans son rapport annuel publié le 16 juin 1999, l'association cite le rapporteur spécial des Nations unies sur les exécutions extrajudiciaires, sommaires ou arbitraires. Celui-ci confirme les craintes exprimées par Amnesty International en affirmant qu'aux États-Unis « la race, l'origine ethnique et la situation économique semblent être des facteurs prépondérants pour déterminer qui sera ou ne sera pas condamné à mort »[2].

Dès ses premières années d'existence, Avocats sans Frontières a intégré cette donnée. « Il serait inexact de penser que les violations des droits de l'homme, et spécialement des droits de la défense, ne surviennent que dans les pays dits "du tiers-monde". Promouvoir les droits de la défense au plan international implique que nous soyons tout aussi scrupuleux quant au respect de ces droits dans nos propres pays, même si cela peut nous rendre impopulaire aux yeux du public »[3], déclara Me Bavo Cool.

Lentement les « humanitaires médicaux » rejoignent cette pleine universalité de la vigilance affichée par Amnesty International. Ce faisant, ils découvrent ou réaffirment l'existence de droits de l'homme jusqu'alors considérés comme secondaires.

La séparation législative faite entre les droits civils et politiques, d'une part, et les droits économiques, sociaux et

1. Amnesty International, « Amériques, les droits bafoués des populations indigènes », *op. cit.*

2. Cité par Amnesty International, *Rapport 1999*, Éditions francophones, 1999. D'après un article publié dans le *Courrier international* et reprenant notamment des chiffres du *Los Angeles Times*, depuis 1976, date du rétablissement de la peine de mort, 75 condamnés à mort sur près de 500 (chiffre donné en 1998) ont été postérieurement déclarés innocents, soit un sur sept (*Los Angeles Times*, cité dans *Courrier international*, n° 423 spécial 50e anniversaire, 10-16/12/1998).

3. Me Bavo Cool, ancien président d'Avocats sans Frontières (AsF), éditorial du Bulletin n° 5, AsF, 1995.

culturels, d'autre part, dévoile petit à petit ses erreurs. « Devons-nous accepter dans nos pays riches [...] la spirale inéluctable de la pauvreté et de ses conséquences, lesquelles ressemblent de plus en plus à un apartheid social et professionnel ? » interroge Bernard Grandjon, président de Médecins du Monde[1]. « Peut-on s'occuper de la misère de l'Érythrée si on laisse mourir dans l'indifférence les exclus de chez nous ? » questionne pareillement Rony Brauman[2]. « L'égalité est un idéal vers lequel on doit tendre même si on sait qu'il ne sera jamais accompli... » affirme l'abbé Pierre[3].

Fin des années 80, MsF et MDM consacrent une partie de leur énergie à lutter contre la précarisation en Belgique comme en France. Dès son installation à New-York, Médecins du Monde-USA s'investit massivement dans des « projets de rue » destinés à tous les marginalisés, drogués, sans abris ou malades du Sida. En France, Emmaüs se trouve épaulé par les Restos du Cœur, lancés par Coluche à grand renfort d'une publicité qui a l'originalité de ne pas être assumée par les agences de marketing traditionnelles mais d'être prise en charge par le monde du show-business directement mis à contribution.

« Dans l'évaluation du rôle des droits de l'homme dans la formulation de la politique étrangère, il est indispensable d'ouvrir l'analyse aux droits économiques, sociaux et culturels. Ces derniers ont longtemps été considérés comme des parents pauvres et mis en sommeil au nom des conceptions relativistes ou simplement égoïstes. On comprend mieux aujourd'hui le rôle de correction ou de contrepoids qu'ils sont appelés à jouer dans le contexte d'économie mondialisée. Ces droits économiques et sociaux, s'ils s'attachent aux

---

1. Bernard Grandjon : *Mission France existe encore*, cité par Renée Fox, « *Medical Humanitarianism and Human Rights : Reflections on Doctor without Borders and Doctors of the World* », Université de Pennsylvanie, Philadelphie, 1995.
2. Cité par Éric Favereau, « Le tour des fronts des *french doctors* », Libération, 16-17/10/1999.
3. Abbé Pierre, *Fraternité, op. cit.*

aspects matériels de la condition humaine, n'en sont pas moins cruciaux que les droits civils et politiques. Bien souvent, ils conditionnent l'accès au savoir et donnent à l'homme la maîtrise de son épanouissement, condition indispensable à la liberté de penser et de choisir. Ce faisant, ils lui donnent les moyens d'exercer et de faire respecter tous ses autres droits » déclare Erik Derycke, ministre belge des Affaires Étrangères. [1]

« Le droit au travail, à une rémunération équitable et à la protection contre le chômage et le droit à un niveau de vie suffisant pour assurer sa santé, l'alimentation, le logement... » garantis par les articles 23 et 25 de la Déclaration universelle des droits de l'homme ont trouvé de nouveaux défenseurs. Ils sont en précaire équilibre sur la frontière qui sépare la seule charité de l'amour fraternel : soit ils comblent les carences de l'État sans les dénoncer, contribuant alors paradoxalement à les entretenir, soit, à l'image de l'abbé Pierre, ils allient leur précieuse aide à une infatigable protestation contre leur propre pays dans ce qu'il impose de non conforme à la Déclaration universelle de 1948.

Toutes ces actions démentent implicitement l'accusation de « néocolonialisme » ou de « paternalisme » Nord-Sud régulièrement utilisée par les détracteurs du mouvement humanitaire.

L'explosion des conflits ethniques, religieux et territoriaux en Europe, depuis la disparition de l'Union soviétique, avec l'important engagement des associations humanitaires qu'ils ont suscité, en portent également le dramatique témoignage.

Extension de la protection aux autres droits fondamentaux de la personne

En amont du droit aux soins, se trouve le droit à la protection de la personne contre les tortures, les exécutions, les

---

1. Erick Derycke, Colloque du Palais d'Egmont, Bruxelles 28/10/1998, *op. cit.*

séquestrations, les famines planifiées, les « épurations ethniques » organisées, toutes armes d'État ou de groupes de pression couramment utilisées.

Face à ces violations des droits de la personne, les organisations humanitaires médicales se distinguent par leur habitude d'arriver « en urgence », quelque part entre le bourreau et le corbillard, la répression et le charnier. Particularisme lié à leur essence même, il fait clairement apparaître la nécessité fondamentale d'imposer le respect des droits de l'homme avant qu'ils ne soient bafoués à la façon malheureusement habituelle qu'ont les cadavres d'être définitifs.

Imposer le respect d'une norme juridique internationale à ses voisins est un rôle par essence politique. La Fédération internationale des droits de l'homme (FIDH), Amnesty International et les médecins ont largement démontré qu'abandonner toutes visées politiques aux politiciens était une grave omission lourde de conséquences, affirmant inversement la nécessité pour tous de se mêler de la manière dont les sociétés s'organisent ou s'imposent.

Dans cet esprit, l'Organisation mondiale contre la torture (OMCT) écrit à propos de la torture : « Tous ceux qui, par leur travail ou leurs origines, ont acquis la possibilité de jouer un rôle économique ou politique de référence se doivent d'apporter leur contribution à la lutte contre une des formes les plus atroces de répression de la liberté. Prises dans un réseau mondial, les contributions individuelles prennent tout leur poids et toute leur force. »[1]

En effet, il s'agit de sans cesse rappeler aux dirigeants de tous pays que « dans ce monde en crise, ce qu'il ne faut surtout pas oublier, c'est que les relations internationales qui se présentent souvent comme un jeu de puissances, un jeu de monstres froids, ont finalement pour matière et pour centre l'homme et que cet homme, sa dignité, ses droits, ses aspirations, sa grandeur doivent être en l'occurrence la pre-

---

1. OMCT, Plaquette de présentation.

mière préoccupation et le premier devoir. On se souviendra de cette phrase d'André Gide dans Œdipe : "Le seul mot de passe pour ne pas être dévoré par le Sphynx, c'est l'Homme [...] je n'admettrais pas d'autre chose à quelle que pût être la question [...] Chacun de nous rencontre un monstre qui se dresse devant lui, telle énigme qui nous puisse empêcher d'avancer. Bien qu'à chacun d'entre nous ce Sphynx particulier pose une question différente, persuadez-vous qu'à chacune de ses questions la réponse reste pareille ; oui, qu'il n'y a qu'une seule et même réponse à de si diverses questions et que cette réponse unique c'est l'homme..." En matière de relations internationales c'est aussi la première réponse. »[1]

Remettre l'homme au centre des préoccupations politiques, internationales et nationales, est le grand défi juridique, politique et moral du combat humanitaire. Chacun d'entre nous doit rester conscient du rôle infime et néanmoins significatif qu'il lui incombe de tenir dans ce combat en tant que membre vivant d'une société en mouvement.

Le 1er août 1975, les États participant à la Conférence sur la sécurité et la coopération en Europe ratifient les « Accords d'Helsinki ». À leur sujet, André Fontaine écrit dans Le Monde : « On peut s'interroger sur le degré de sincérité avec lequel nombre d'États, qui n'ont cessé d'en prendre à leur aise avec la Charte des Nations unies ou avec la Déclaration universelle des droits de l'homme, s'apprêtent à signer un acte qui en reprend les dispositions essentielles », relevant notamment que les cinq pays qui ont envahi la Tchécoslovaquie en 1968 ne font preuve d'aucun état d'âme en s'engageant à « ne jamais recourir à la menace ou à l'emploi de la force contre l'intégrité territoriale ou l'indépendance politique d'un État ». Ou que la Turquie, qui occupe alors depuis un an la moitié de Chypre, n'en a pas plus en s'engageant à « ne pas faire du territoire de l'un d'entre eux l'objet d'une

---

1. David Cahen, *Politique internationale*, PUB, 1988.

occupation militaire ». Le journaliste poursuit : « L'Histoire, depuis qu'elle s'écrit, est lutte entre des courants contradictoires. C'est une vue de l'esprit que de s'imaginer que les engagements les plus solennels, et même les plus sincères, peuvent soudain la figer. Trop de forces sont à l'œuvre qui provoquent réactions et contre-réactions, échappant bien souvent d'ailleurs à ceux qui les ont mises en mouvement. Aussi bien la liste des traités violés ou tombés en désuétude est-elle singulièrement plus longue que celle des accords respectés jusqu'à leur terme. Est-ce à dire qu'Helsinki est inutile ? [...] Pas le moins du monde [...] parce que dans les dispositions de l'Acte final, il en est un grand nombre qui peuvent fournir une certaine aide à tous ceux que la politique a tendance à traiter par le mépris, parce que citoyens, familles, groupes ou nations, ils ont peu de force à leur disposition [...] Disons que pendant un temps, il devrait y avoir des choses qu'il sera plus difficile de faire [...] Le tout est de prendre suffisamment au sérieux les engagements qui vont être contresignés pour être déterminé à rappeler à leur respect dès la première violation. » [1]

Ayant bien compris l'importance et l'impact que ces derniers points comportent, et surtout déterminé à ne pas laisser aux États la liberté de respecter ou non ces engagements, Bob Bernstein s'envole pour Moscou où, clandestinement, il rencontre Andrei Sakkarov parmi d'autres dissidents. Afin de contribuer à leur protection face aux graves menaces qui pèsent sur eux, il crée le *Fund for Free Expression,* avec pour intention de donner une publicité internationale aux violations les plus graves de leurs droits. Trois ans plus tard, en 1978, cette association devient l'*Human Right Watch.*

En 1981, elle élargit son champ de surveillance de l'orbite soviétique à l'Amérique latine, entrant alors de fait en conflit direct avec les États-Unis qui, sous la nouvelle administra-

---

1. André Fontaine, *Le Monde,* 29/07/1975.

tion Reagan, plaident pour une plus grande tolérance vis-à-vis des régimes totalitaires et accompagnent leurs déclarations par un soutien militaire direct à nombre d'entre eux. Dès lors, l'*Human Right Watch*, « estimant qu'il est dangereux pour une démocratie de mener une politique étrangère qui favorise des dictateurs... », entame une « surveillance de la politique étrangère des gouvernements démocratiques, pour qu'elle reflète dans la mesure du possible les valeurs démocratiques internes à ce pays ». Consciente que « les gouvernements démocratiques doivent en permanence faire des arbitrages entre politique, économie et droits de l'homme... », l'*Human Right Watch* veut « renforcer la place des droits de l'homme dans cette équation »[1].

Secrets et silences servant principalement les tortionnaires, l'association s'attelle à la constitution de dossiers, rassemblements de témoignages, recherches de preuves, afin de dénoncer publiquement sur la scène internationale toutes violations graves des droits de la personne, mais aussi afin de soutenir et encourager toute procédure judiciaire pouvant mettre au jour la vérité. Toutes actions pouvant contribuer à mettre un terme aux disparitions, assassinats, prisons clandestines ou autres graves menaces qui pèsent sur les dissidents politiques mais aussi sur les défenseurs des droits de l'homme[2], sont prises en charge ou activement soutenues par l'association.

Cette volonté de collaborer à l'exercice de la justice, comme moyen de lutte contre l'oppression et comme affirmation de l'importance des droits fondamentaux de l'homme, fera de l'*Human Right Watch* l'une des ONG la plus farouchement engagée dans le combat pour la création d'une cour pénale internationale. Projet qui, après des

---

1. Interview de Jean-Paul Marthoz, Directeur européen de l'information *Human Right Watch*, parue dans « L'outsider américain » de V. Kiesel, *Le Soir*, 10/12/1998.
2. La protection apportée par l'*Human Right Watch*, qui a débuté auprès des dissidents d'Union soviétique, s'est ensuite exercée en Argentine et au Chili, avant de s'étendre progressivement au reste du monde.

années de lobbying, a abouti, à Rome, en juillet 1998, à un traité international, et ce malgré les tentatives américaines d'en réduire la compétence territoriale ou matérielle. Cette cour, destinée à connaître des crimes de guerre, crimes de génocide et crimes contre l'humanité aura une compétence universelle, quel que soit l'endroit où ces crimes seront commis, quels que puissent en être les auteurs et l'endroit où ils seront appréhendés.

En 1999, à New York, les divers protagonistes tentèrent de trouver un accord pour pousser les États à ratifier le traité, chose non encore acquise. Toutefois, le traité conclu le 18 juillet 1998 semble marquer la fin de l'impunité quasi systématique dont, jusqu'à présent, bénéficiaient les « bourreaux d'États ». Celle-ci devrait faire place à l'exigence de justice, ce qui aura des conséquences évidentes après, mais pourrait bien en avoir également avant, la commission de l'acte criminel. En confiant à une juridiction internationale le soin de juger de certaines formes de violations des droits de l'homme, le Traité conforte les revendications des ONG humanitaires luttant contre la trop grande puissance accordée au principe de la souveraineté nationale.

Au fur et à mesure de l'augmentation de ses capacités humaines et financières, l'*Human Right Watch* étend son champ d'action au reste du monde, pourchassant les violations des droits de la personne, que celles-ci soient commises en tant de guerre ou de paix, par des gouvernements ou des forces rebelles, à l'encontre de prisonniers politiques ou de droits communs, de réfugiés ou d'internés de force, d'adultes ou d'enfants. L'*Human Right Watch* dénonce par exemple le massacre de 111 prisonniers, perpétré en 1992 par les forces de l'ordre et les gardiens dans une prison du Brésil, ou encore « les crimes commis par les rebelles kurdes du PKK ou par la guérilla colombienne contre le population civile »[1]. L'association dénonce aussi l'utilisation de plus en plus

---

1. V. Kiesel, *L'Outsider américain*, *op. cit.*

répandue du viol comme arme de guerre, viol pratiqué systématiquement à l'encontre des femmes membres d'un groupe ethnique ou religieux déterminé, désigné comme ennemi, à seule fin d'affaiblir psychologiquement ce « groupe ennemi ». Le Pérou en 1992, le Rwanda en 1994, mais aussi l'Inde, la Somalie, la Bosnie et le Kosovo sont les lieux connus où de telles pratiques ont été perpétrées. Dans ces conditions, le viol n'est plus crime de droit commun mais acte constitutif de crime contre l'humanité, planifié et orchestré, devant être reconnu en tant que tel et poursuivi devant un tribunal indépendant et impartial.

Le sérieux des enquêtes menées par l'*Human Right Watch* lui a permis d'acquérir un impact important sur les institutions internationales. Ainsi, en 1997, la communauté internationale s'apprête à apporter son soutien financier au nouveau dirigeant Laurent Désiré Kabila, qui s'est autoproclamé chef de l'État et chef du gouvernement de la nouvelle République démocratique du Congo, après avoir renversé Mobutu Sese Seko – lequel, depuis novembre 1965, avait expurgé le Zaïre de ses richesses à son seul profit, laissant derrière lui un pays exsangue. L'*Human Right Watch*, sur la base d'une enquête menée clandestinement, révèle alors au monde les massacres de civils commis par les troupes de « l'alliance des forces démocratiques pour la libération du Congo » dirigées par Kabila, à l'encontre de réfugiés rwandais, n'épargnant pas même les enfants. Ces documents pousseront les Nations unies à envoyer des missions d'enquête sur place et à réévaluer, ainsi que le fera l'Union européenne, les conditions de l'aide qu'elles étaient prêtes à attribuer au nouveau régime.

Afin d'augmenter sans cesse ses moyens d'action mais aussi de diffusion des valeurs contenues dans la Déclaration universelle des droits de l'homme, l'*Human Right Watch* crée en 1997 le premier Festival du film des Droits de la personne.

Une autre association, démontrant l'importance grandissante accordée à l'impact de l'information sur le public en matière de violations des droits de l'homme, prendra en 1989, sous l'influence de Chantal de Casabianca, son véritable envol. Reporters Sans Frontières (RSF), après quatre années consacrées au grand reportage, réoriente son action pour la focaliser sur les violations des droits des journalistes, persécutés ou emprisonnés en raison de leurs écrits, pensées ou enquêtes ainsi que sur les atteintes à la liberté de presse. RSF non seulement dénonce dans son rapport annuel les violations de la liberté de presse, mais utilise aussi le nouvel outil de communication que représente Internet pour mettre sur le site les articles, dessins ou photos qui ont été censurés ou ont valu à leurs auteurs d'être condamnés à la suite d'un procès politique, ou d'être emprisonnés. Pour obtenir la libération de ces journalistes, prisonniers d'opinion, RSF organise des campagnes de presse ou de parrainage par les médias, proteste par écrit auprès des autorités des pays responsables, assure l'envoi d'avocats et la prise en charge partielle de frais judiciaires, saisit la Commission des droits de l'homme des Nations unies, ou encore procure une aide financière aux familles.

En outre, RSF dénonce « les saisies, les interdictions, les censures, pratiques courantes dans plus de la moitié des pays du monde [...] deux millions d'hommes et de femmes vivant dans des pays qui bafouent quotidiennement le droit à l'information »[1]. Des pays qui méprisent les droits fondamentaux des journalistes, emprisonnés, assassinés, exilés ainsi que ceux de toutes autres personnes poursuivies pour avoir divulgué ou reçu des informations.

Ainsi, dans un communiqué du 9 août 1999, publié par *Le Monde*, RSF divulgue la liste des « 20 ennemis d'Internet », à savoir : l'Arabie Saoudite, la Biélorussie, la Birmanie, la Chine, la Corée du Nord, Cuba[2], l'Irak, l'Iran, la Syrie, la Libye, la Sierra Leone, le Soudan, la Tunisie, le

---

1. RSF, plaquette de présentation.
2. Dans un article publié dans le quotidien *Libération*, un journaliste relève

Viêt-nam, l'Azerbaïdjan, le Kazakhstan, le Kirghizstan, l'Ouzbékistan, le Tadjikistan et le Turkménistan.

Parmi eux, les pays les plus hermétiques n'offrent aucun accès à Internet (Irak, Corée du Nord, Libye), les autres poursuivent et condamnent les utilisateurs ou les possesseurs d'un ordinateur. RSF dénonce ainsi en vrac l'obligation faite en Birmanie de déclarer son ordinateur à l'administration sous peine de quinze ans d'emprisonnement ; la condamnation d'un informaticien de Shangaï, en janvier 1999, à deux ans d'emprisonnement pour avoir fourni les adresses e-mail de 30 000 compatriotes à un site dissident basé aux États-Unis ; l'arrestation à Cuba, d'un journaliste de l'agence indépendante Cuba Verdad qui attend son jugement après la publication d'un article sur le site cuba.net aux États-Unis ; l'attitude du gouvernement chinois qui a bloqué le site de la BBC en octobre 1998 et celle de la Tunisie qui a bloqué le site Amnesty International sur son territoire en novembre 1998, lui en substituant un autre, baptisé « Amnesty-tunisia.org » vantant l'action du gouvernement en faveur des droits de l'homme. Ce même pays a créé une fausse association Avocats sans Frontières dans le même but.

RSF rappelle à ces pays l'article 19 de l'acte international relatif aux droits civils et politiques qui proclament le droit « de recevoir et de répandre des informations et des idées de toute espèce, sans considération de frontières ». Le 10 décembre 1998, à l'occasion du cinquantième anniversaire de la Déclaration universelle, RSF écrit dans la presse, sous les photos de vingt chefs d'État actuels : « Sur les 185 États qui siègent aux Nations unies, plus de la moitié ne respectent pas la liberté de la presse, alors qu'ils s'y sont engagés. Ces ennemis de la liberté ont des noms, des visages, des titres. Ils dirigent des États en toute impunité. En violant les règles

---

que « Cuba verrouille les écoutilles pour empêcher les voies d'eau : (hors le contrôle de la presse et de la télévision), l'accès à Internet est strictement réservé aux cadres supérieurs de l'administration » (« Fidel Castro lance la chasse à la décadence », C. Lionet, 7/12/1998).

de la communauté internationale, ils se mettent au ban des nations. À nous de leur demander des comptes. »[1]

En 1990, Reporters Sans Frontières institue la journée internationale de la liberté de la presse, reconnue officiellement depuis 1994 par les Nations unies.

D'autres associations, aux actions ciblées sur un groupe particulier menacé en raison de ses activités, licites au regard de la Déclaration universelle des droits de l'homme, ou en raison de sa faiblesse, s'imposent aux gouvernements qui se trouvent sous les feux d'associations de plus en plus nombreuses. Ainsi, par exemple, Défense des enfants international (DEI) se crée à Genève en 1979. À nouveau, la diffusion de l'information constitue le principal moyen d'action.

À Genève également, s'installe l'ONG Organisation mondiale contre la torture (OMCT) qui, partant d'un constat dramatique, va mettre sur pied un nouveau concept de travail en lançant le réseau SOS-Torture. « La torture n'a pas ou si peu droit aux médias. La famine, la guerre "font des images" pour le journal de 20 heures. La torture, non. Il y a des milliers de cas de torture par jour dans le monde. Qui en parle ? Il faut des occasions exceptionnelles comme le viol organisé des femmes en Bosnie ou les machettes du Rwanda pour attirer micro et caméras. (Or) La torture se plaît à l'ombre, elle aime la nuit [...] On torture en Europe, en Amérique, en Asie, en Afrique, en Océanie. La torture n'est pas l'apanage des dictateurs patentés et dûment répertoriés. Toute la planète en porte les stigmates [...] Il n'y a pas d'âge, pas de sexe, pas de statut social pour être victime. On torture des bébés pour faire parler leur mère [...] Des centaines d'initiatives tentent de l'endiguer. Mais ces actions courageuses, aux moyens modestes, sont souvent dispersées et isolées sur le terrain [...] Conscientes de leurs limites, des ONG ont

---

1. *Cf. Libération*, 10/12/1998.

exprimé lors d'une rencontre en 1993 le besoin urgent de constituer un réseau d'alerte basé sur une circulation rapide et efficace de toute information sérieuse concernant la torture. C'est pour aider ceux qui prennent le risque de lutter contre cette horreur terriblement ordinaire qu'existe l'Organisation mondiale contre la torture. » [1]

Créée en 1986, l'OMCT est, depuis, devenue la plus importante coalition d'ONG contre la torture. Le réseau SOS-Torture qui regroupe près de 200 associations affiliées. Il se dit capable de traiter, traduire et diffuser en moins de 24 heures auprès des ONG concernées, des médias ou de toutes instances gouvernementales, intergouvernementales, diplomatiques ou régionales, ayant une compétence précise dans la situation dénoncée, toutes informations concernant les cas de graves violations des droits de l'homme reçues par son Secrétariat international, à Genève, et envoyées par ses contacts locaux. « Pour agir efficacement dans un cas de violence flagrante, il faut agir vite et faire savoir vite, car c'est dans les premières heures de son arrestation que le détenu court les plus grands risques. » [2]

L'OMCT non seulement apporte son appui logistique et juridique à maintes associations nationales de défense des droits de l'homme mais leur permet surtout d'accéder à moindre frais à l'internationalisation de leurs actions. L'OMCT fonctionne donc plus comme un relais entre les victimes et les aides les plus appropriées, qu'elles soient médicales, juridiques ou de protection préventive, que comme un centre de traitement des victimes. « Au début de ses activités, l'OMCT avait été conçue essentiellement comme une centrale d'alerte pour les ONG qui n'avaient pas accès, dans des délais courts, aux institutions internationales ou qui rencontraient certaines difficultés à utiliser

---

1. OMCT, Plaquette de présentation diffusée par l'association.
2. OMCT, Plaquette de présentation diffusée par l'association.

les procédures internationales », déclare Éric Sottas, directeur du Secrétariat international de l'OMCT[1].

La qualité de son travail a permis à l'association d'obtenir
à la fois un statut consultatif auprès des Nations unies, de
l'Organisation internationale du travail, du Conseil de
l'Europe, de la Commission africaine des droits de l'homme
et des peuples, mais aussi de participer directement aux sessions de la Commission et de la Sous-Commission des droits
de l'homme des Nations unies. Elle rédige ainsi à l'intention
des experts des Comités contre la torture, du Comité des
droits de l'homme, du Comité des droits de l'enfant et du
Comité pour l'élimination de la discrimination à l'égard des
femmes des commentaires sur les rapports déposés par les
États. Ce travail, plus juridique que factuel, tente de
dénoncer les divergences existant entre les obligations
contractées par les États lors de la ratification d'une convention ou d'un pacte et les réalités législatives et judiciaires
nationales.

Conjointement à ce travail, l'OMCT a également développé des projets d'aide directe aux personnes. Elle octroie
ainsi une aide d'urgence médicale, juridique, sociale ou
financière aux victimes de la torture qui ne peuvent bénéficier d'aucun autre soutien. Constatant que « les conditions
de détention des enfants posent dans pratiquement tous les
pays des problèmes très graves et sont la cause de violences
et de souffrances souvent irréversibles [...] que le viol comme
moyen de torture est extrêmement répandu [...] que la torture et les violations sexo-spécifiques découlant des conditions inhumaines de détention sont encore très largement
négligées... et face aux massacres d'enfant des rues »[2],
l'OMCT crée en 1991 un programme « enfant » et en 1996
un programme « femme ».

---

1. Éric Sottas, Présentation du rapport d'activité 1997, OMCT.
2. Éric Sottas, Présentation du rapport d'activité, *op. cit.*

Toutes les associations humanitaires semblent donc s'être engagées dans la médiatisation des violations graves des droits de l'homme qu'elles tentent d'éradiquer. Selon les moyens dont elles disposent, elles diffusent des brochures, publient des rapports, participent à l'édition de livres, soutiennent la réalisation de films ou collaborent à des projets éducatifs. Car plus leurs actions seront connues et plus elles seront efficaces, plus leurs existences seront médiatisées et plus elles seront protégées, plus la mobilisation sera importante au sein des citoyens du monde et plus il sera difficile pour un État ou un groupe rebelle d'imposer la violence et la terreur comme seules lois, la machette et les disparitions comme instruments de justice.

Toutes ces initiatives confirment que : « Le droit international en matière de droits de l'homme n'est pas seulement une question de spécialistes. Tout le monde peut contribuer : ONG apportant les éléments nécessaires à la décision politique, autorités gouvernementales introduisant des changements législatifs, officiers de police recevant et classant les plaintes efficacement, militaires renforçant la formation en ce domaine, professeurs enseignant les droits de l'homme, journalistes informant sur le mécanisme et les recours pour leur défense, adultes transmettant le respect de génération en génération, simples citoyens se solidarisant. »[1]

En accord avec ce principe, Amnesty International développe de nouveaux modes d'actions et tente notamment de responsabiliser le monde des affaires. Arguant du fait que la Déclaration universelle ainsi que de nombreuses autres résolutions des Nations unies exhortent « tous les individus et tous les organes de la société à s'efforcer de développer le respect de ces droits et libertés et d'en assurer la reconnaissance et l'application universelles et effectives »[2], arguant aussi du fait que les entreprises et institutions financières

---

1. Mirta Lourenço, membre de l'Unesco dans Amnesty International, *Les Droits humains, une arme pour la paix, op. cit.*
2. Déclaration universelle des droits de l'homme.

sont des organes de la société, et enfin, du fait que la restructuration de l'économie mondiale a renforcé l'influence des institutions financières internationales et des sociétés transnationales, Amnesty International invite celles-ci à user de leur influence pour tenter de mettre fin aux violations des droits de la personne perpétrées dans les pays où elles opèrent.

En 1998, le ministre des Affaires étrangères de Belgique, qui salue « les nombreuses organisations non gouvernementales qui expriment en permanence les préoccupations légitimes de la société civile dans le domaine de la protection et de la promotion des droits de l'homme », affirme : « Leur intérêt constant est une contribution indispensable. »[1]

Rôle complémentaire des ONG et des États

Poussées par l'importance désormais incontournable des droits de l'homme que les ONG ont su imposer, par le soutien public que ces mêmes ONG ont généré et, enfin par leurs engagements textuels, les grandes organisations internationales investissent le domaine humanitaire.

À la fin des années 70, l'Union européenne crée un département d'aide d'urgence qui devient, en 1992, l'*European Community Humanitarian Organisation* (Echo), contrôlant et organisant l'ensemble de ses interventions humanitaires. L'Onu, de son côté, crée en 1980 un département des affaires humanitaires destiné à coordonner les interventions humanitaires de toutes les agences qui, par leurs actions, y jouent un rôle important, tels l'Unicef, l'OMS, mais aussi le Programme alimentaire mondial (PAM) ou l'Organisation des Nations unies pour le Secours aux catastrophes (Undro). Quant au Conseil de sécurité, son rôle de maintien de la paix l'amène à se mêler directement des circonstances dans lesquelles surgissent les catastrophes humanitaires.

---

1. Erik Derycke, discours du 18/03/1998, 54ᵉ session de la Commission des droits de l'homme des Nations unies.

Près de vingt ans après la Convention européenne, le 22 novembre 1969 la Convention américaine des droits de l'homme est signée. Vingt autres années plus tard, c'est au tour de l'Afrique d'adopter, le 27 juin 1981, une Convention des droits de l'homme et des peuples.

Les droits humains, qui se sont lentement imposés dans les textes, vont accélérer leur progression grâce à la prise de conscience des institutions internationales et des États du lien existant entre le respect des droits de l'homme et la stabilité des pays. En 1992, dans son agenda pour la paix, Boutros Boutros Ghali, alors secrétaire général des Nations unies, préconise de renforcer la paix et la stabilité des nations par le développement d'une diplomatie préventive, veillant au respect des droits de l'individu, à sa protection physique, politique et économique. Petit à petit, une nouvelle analyse des conflits s'impose aux regards de la communauté internationale. Nombre d'entre eux apparaissent comme le résultat de confrontations communautaires dues aux violations systématiques des droits économiques, politiques et sociaux d'un groupe au profit d'un autre. Cette révélation transforme la vision que les États jusque-là entretenaient des droits de la personne. « Pendant la Guerre froide, on avait tendance à définir la paix et la sécurité simplement en termes militaire ou d'équilibre de la terreur. Aujourd'hui, nous savons qu'une paix durable repose sur une vision plus large englobant l'éducation et l'alphabétisation, la santé et l'alimentation, les droits de l'homme et les libertés fondamentales » analyse, en 1998, le secrétaire général des Nations unies, Kofi Annan[1]. « Les violations des droits humains sont les causes des conflits de demain »[2], renchérit Mary Robinson dont le nouveau poste de haut commissaire aux droits de l'homme témoigne de l'enjeu acquis par les droits de l'homme au sein de l'Onu[3].

---

1. Kofi Annan cité par Amnesty International, *Les Droits humains, une arme pour la paix*, Éditions Grip, 1998.

2. Mary Robinson citée par Amnesty International, *Les Droits humains, une arme pour la paix, op. cit.*

3. L'Onu a institué un Haut Commissariat aux droits de l'homme dont le

Témoignant de cette même prise de conscience du lien existant entre la sécurité internationale et les droits de l'homme, l'Union européenne crée lors du sommet de Budapest, en 1994, des systèmes d'alertes tels le Haut Commissariat aux minorités nationales ou le Centre de prévention des conflits, basé à Vienne. Même la Banque mondiale s'intéresse à ce constat. En 1997, elle écrit : « Comme le montre la multiplicité des conflits ethniques dans le monde, l'impression d'être laissés-pour-compte, qu'il s'agisse des revenus, des biens ou de l'emploi, inspire à certains groupes une grande amertume qui peut déboucher sur la violence si les groupes en question n'ont pas de moyens appropriés pour présenter leurs doléances. »[1]

Dans les faits, ce nouvel enjeu que représente les droits de la personne pousse l'Onu à intégrer la surveillance de leur respect dans ses missions de maintien de la paix. Au Salvador, en 1991[2], l'Onu envoie une mission « délibérément axée sur les droits de l'homme et leur protection. Son objectif était de mettre fin à la guerre civile, de favoriser la démocratisation du pays, de garantir le respect illimité des droits de l'homme et de réunifier la société salvadorienne »[3].

La même obligation de veiller au respect des droits de l'homme fut intégrée aux attributions de la mission de garantie des accords de paix envoyée au Guatemala[4] ainsi qu'à celles effectuées en Haïti[5].

---

premier haut commissaire a été nommé le 5/04/1994. Il s'agissait de l'Équatorien José Ayala-Lasso. L'Irlandaise Mary Robinson lui a succédé le 12/09/1997.

1. Banque mondiale, « L'État dans un monde en mutation », Washington 1997, cité par Amnesty international, *Les Droits humains, une arme pour la paix, op. cit.*

2. Onusal, décidée le 20/05/1991 par une résolution du Conseil de sécurité.

3. Amnesty international, *Les Droits humains, une arme pour la paix, op. cit.*

4. La Minugua, mission de vérification du respect des droits de l'homme au Guatemala, a été instituée par une résolution de l'Assemblée générale des Nations unies le 19/09/1994.

5. Entre 1993 et 1996, diverses missions ont été envoyées en Haïti afin, entre autres, de garantir le respect des droits de l'homme au sein du système judiciaire.

Évincés du domaine humanitaire par la création de la Croix-Rouge – laquelle, portée par sa neutralité, donnait à son action la force de son impartialité –, les États reviennent donc peu à peu sur ce terrain. D'abord par le biais des Nations unies et de l'Union européenne, ce multinationalisme les drapant d'une nouvelle aura de « bonne et loyale volonté », c'est ensuite prudemment en leur nom propre qu'ils reprennent en main le rôle qui leur incombe.

Cette inévitable évolution est à la fois nécessaire et dangereuse. Nul ne peut croire au désintérêt total d'un pays qui s'engage dans une action humanitaire déterminée. La nature même de l'action humanitaire empêche un État d'en assumer seul la charge ou la conduite. Pour être crédible, le devoir d'information qui incombe aux acteurs de l'humanitaire doit être universel, dénonçant pareillement les barbaries, qu'elles soient de droite ou de gauche, de pays riches ou pauvres, de gouvernements ou de guérillas. Une telle position est incompatible avec la politique de la diplomatie et de la préséance comme avec les enjeux d'une économie de plus en plus fondamentalement interdépendante.

Si les États reprennent dans ce domaine le devant de la scène, l'action humanitaire deviendra consolidation du pouvoir des pays les plus forts, chez eux comme au-delà de leurs frontières, aidant les alliés et déstabilisant les opposants. Pour ces raisons, l'initiative de l'action humanitaire doit rester le privilège des ONG.

Pourtant, il serait dommageable de négliger le renforcement que l'appui d'un ou de plusieurs pays peut apporter à l'efficacité d'une action décidée nécessaire par une association humanitaire indépendante et menée sous son contrôle et sa vigilance permanente. L'histoire du mouvement humanitaire en atteste, celle de l'Éthiopie l'illustre.

Dès 1985, le régime communiste du lieutenant-colonel Mengistu mène les paysans du nord de l'Éthiopie à la famine. Afin de lutter contre les mouvements rebelles qui trouvent un soutien auprès des provinces du Nord, il met en place un projet de déplacement des populations. Il œuvre à la destruction ou à la réquisition des récoltes, tuant les élevages, anéantissant les réserves alimentaires. Contraints par la force d'abandonner leurs champs, un grand nombre de ceux qui parviennent sur leur lieu d'exil y meurent des effets conjugués de la fatigue, de la sous-alimentation et des conditions sanitaires et pathogènes différentes de celles de leurs régions d'origines.

Les paysans qui survivent sont enfermés dans de nouveaux « villages », qu'ils sont tenus de bâtir eux-mêmes, sous le contrôle permanent d'une « tour de guet », fief du chef politique délégué, symbole de l'omniprésence du parti.

Les divers mouvements de rébellion, présents à travers le pays, s'opposent à ces regroupements forcés qui, sous couvert d'accès à la scolarisation ou aux terres prétendues fertiles, ont pour principal but de mieux les contrôler. Des centaines d'Oromos se réfugient en Somalie.

Complaisamment, le lieutenant-colonel Mengistu autorise alors une campagne médiatique étalant les ravages de la famine, dénonçant la sécheresse du nord de l'Éthiopie comme grande responsable, afin de susciter la compassion de l'opinion internationale des pays riches. Il utilise ensuite l'apport financier et alimentaire représenté par l'aide humanitaire pour accélérer les déplacements de populations.

Le chanteur Bob Geldoff, touché par la révélation que la BBC, la première, a faite de la famine, organise d'immenses concerts, lesquels, avec la vente à plus de 16 millions d'exemplaires du disque *We are the world, we are the children*, permet de récolter près de 50 millions de dollars. Le chanteur, qui a « visité » l'Éthiopie encadré par des représentants du gouvernement, remet l'argent aux autorités locales. Il sert ainsi directement à la « villagisation » des paysans. Convaincu qu'avec ou sans aide, le déplacement des populations continuera, Bob Geldoff, qui veut être une « instance morale » hors du cadre politique, est devenu, en s'engageant dans ce que Frédéric Passy qualifiait au XIXᵉ siècle de tentative

« d'humaniser le carnage », la caution sinon le soutien financier d'un régime qu'il a négligé de dénoncer.

Pourtant, le pouvoir éthiopien n'avait pas les moyens politiques et économiques de s'opposer à une condamnation internationale. De ce point de vue, les propos de Bob Geldoff, et plus gravement encore l'attitude adoptée par l'aide humanitaire, sont condamnables.

Prises au piège d'une situation mal comprise, les ONG, en effet, choisissent elles aussi la charité face à la famine. En ciblant leurs actions sur les nouveaux sites ou en les soumettant aux décisions du pouvoir central, elles consolident en fait les responsables directs d'une situation catastrophique.

En 1985, le travail forcé, les épidémies et les déportations ont fait près de 200 000 morts, soit plus de victimes que la famine au cours de cette même année [1]. Dans ce contexte ambigu, deux Américains de l'association *World Vision* sont assassinés en mars 1986.

La campagne de presse, axée sur les effets de la famine, a négligé d'en rechercher ou d'en dénoncer suffisamment les causes. L'élan de solidarité a été manipulé, aboutissant à un renforcement direct du pouvoir oppresseur au détriment des victimes censées être secourues.

Percevant la finalité pernicieuse de la charité mise en place au détriment des droits fondamentaux des victimes censées êtres secourues, MsF opte pour la contestation. Elle seule a le courage de dénoncer cette « villagisation » forcée, ce détournement de l'aide humanitaire. Elle est expulsée d'Éthiopie le 2 décembre 1985. L'association commence alors un travail de lobbying auprès des Communautés européennes et des Nations unies, lesquelles finissent par faire pression sur le gouvernement éthiopien qui, en avril 1986, stoppe les déportations. Grâce à cette intervention, MsF, et à travers elle l'action humanitaire, a beaucoup trop tardivement mais finalement gagné une bataille.

---

1. Chiffre cité par Rony Brauman, dans son film réalisé en 1996 et diffusé sur Arte le 8/12/1999.

Le devoir de dénonciation des causes, politiques ou non, apparaît clairement comme le corollaire inséparable d'une action humanitaire qui se veut efficace et crédible. Quel sens pourrait-on trouver à maintenir en vie, pour quelques jours de plus, un enfant irrémédiablement condamné par une famine sciemment organisée, sans allier cette aide médicale à une lutte contre la « politique » mise en place ? Quelles raisons justifieraient les soins prodigués à un prisonnier d'opinion torturé qui serait ensuite rendu à ses bourreaux ? Quelle bonne conscience espère-t-on en distribuant des prothèses si l'on renvoie les personnes amputées cultiver des champs minés, si l'on continue à tolérer le commerce et l'utilisation des mines antipersonnel ?

L'action humanitaire a le devoir de dire ce qu'elle sait pour forcer les responsables politiques des pays concernés ou les ambassadeurs présents à intervenir. Elle a un droit de lobbying international permanent pour promouvoir les droits fondamentaux contenus dans la Déclaration universelle de 1948 et pour limiter chaque fois qu'elle le peut les risques de nouvelles catastrophes humanitaires. Elle a un devoir d'éducation à long terme des populations, en priorité celles privées d'accès à l'information, de l'existence de leurs droits et des moyens de les faire respecter.

L'indépendance complète et la neutralité effective de l'organisation humanitaire, qui travaille et existe « sans but lucratif », sont les seules garanties plausibles du bien-fondé comme de l'opportunité de son action.

Cependant, si les ONG assument leurs obligations de dénonciation au risque d'être expulsées, elles doivent aussi pour être efficaces, disposer d'autres moyens d'actions, et ce sans préjudice de la possibilité de revenir clandestinement au nom du droit des victimes d'être secourues. La prise de conscience de l'opinion publique comme le lobbying direct auprès des États sont des armes qu'il ne faut pas négliger : ce sont elles qui ont notamment permis de paralyser le colonel Mengistu. « Les humanitaires doivent partir quand ils savent qu'en restant ils deviennent complices. Cependant, il vaut mieux essayer de l'éviter en tirant d'abord la sonnette d'alarme, afin d'obliger les politiques, les diplomates à s'investir, à intervenir pour forcer les forces en place à chercher une solution » dit à ce sujet Emma Bonino, responsable d'Écho [1].

Si l'État en tant qu'initiateur d'actions humanitaires est par essence suspect, son rôle en tant que partenaire sollicité d'ONG est fondamental. Non seulement parce que les États, à travers les Nations unies et l'Union européenne mais aussi en tant que tel par le biais de leurs ministères de la Coopération, sont souvent les principaux bailleurs de fonds des ONG [2], mais aussi parce que le rôle que peuvent tenir leurs représentants diplomatiques et le poids de leurs avertissements, sont d'utiles et complémentaires moyens de persuasion.

En 1988, la France crée le Secrétariat d'État à l'Action humanitaire. Doté d'un pauvre budget, ce nouveau département d'État attribué à Bernard Kouchner représente pourtant pour le mouvement humanitaire l'accès à un intermédiaire neuf disposant d'une écoute auprès des gouvernements et des instances internationales que souvent les ONG n'ont pas elles-mêmes.

La même année, à l'initiative de ce nouveau Secrétariat d'État à l'Action humanitaire, l'Assemblée générale des Nations unies, par sa résolution 43/131, consacre le rôle des ONG et reconnaît le droit de libre accès aux victimes. En 1991, le Conseil de sécurité des Nations unies dans sa résolution 688, prise à l'occasion de l'agression irakienne contre les populations kurdes vivant sur son territoire, officialise le

---

1. Emma Bonino, France 3, *Des Ailes et des Hommes*, 3/02/1999.
2. Certaines ONG, telle Amnesty International, afin de garantir leur totale indépendance et de couper court à toute tentative « d'influence », refusent les subventions institutionnelles et ne comptent que sur les dons des personnes privées.

droit d'ingérence. Dans ce « conflit interne », une zone d'exclusion militaire est imposée par les Nations unies au pays en cause, l'aide humanitaire est appuyée par la force.

Cet interventionnisme au nom du droit des victimes qui pourrait passer pour un retour en arrière n'en est pourtant pas un, non grâce à une improbable évolution d'une conscience étatique mais en raison du rôle que peuvent tenir les associations humanitaires qui, de manière neutre et informée, décident de soutenir ou d'infirmer la légitimité d'une décision, qui mettent à jour les coupables complicités comme les langues de bois. Leur vigilance est de plus en plus sollicitée, incontournable et nécessaire.

Prétendre que l'action humanitaire ne peut être assumée par les États parce qu'elle est apolitique est évidemment faux. L'action humanitaire en tant que reflet de la Déclaration universelle des droits de l'homme, s'inscrit dans le domaine politique, non pas celui d'un parti mais celui d'une conception de la société qui place le respect de la vie et de la dignité humaine au-dessus de toutes les autres préoccupations gouvernementales.

Elle a de ce fait des conséquences directes dans la manière dont s'organise le gouvernement de l'État : elle est, par exemple et par nature, opposée aux partis fascistes, à la politique xénophobe, au contrôle de la presse, à l'existence de « délits d'opinion », à la persécution organisée des minorités religieuses ou ethniques, à toutes formes d'entraves aux libertés fondamentales de l'individu en-dehors de tout système judiciaire indépendant et impartial.

Par cela, l'action humanitaire est donc « politique ». Mais d'une politique universellement légitimée puisque engageant la presque totalité des pays qui se sont librement engagés à faire respecter la Déclaration universelle des droits de l'homme ainsi que nombre de textes internationaux qui en reflètent la teneur.

« D'emblée nous avons reconnu que notre action ne pouvait pas s'inscrire dans un contexte exclusivement juridique et humanitaire mais qu'elle était de nature politique au sens large du terme, certes jamais nous ne défendons une doctrine politique particulière, toutefois notre lutte est un acte politique », reconnaît Pierre de Senarclens, président de l'OMCT qui ajoute : « La torture s'inscrit nécessairement dans des contextes institutionnels et socio-économiques spécifiques qui ne peuvent pas nous laisser indifférents. Nous accordons une importance croissante aux conditions économiques et sociales favorisant l'apparition de la torture [...] ainsi qu'aux politiques d'ajustement structurels poursuivies par les institutions internationales à l'égard des pays pauvres [...] (ces politiques d'ajustement structurelles) misent presque exclusivement sur la dynamique du marché et des solutions techniques de nature sectorielle pour résoudre les problèmes de sous-développement, mais elles négligent le rôle des institutions internationales [...] dans la perpétuation de la misère. » [1]

Rony Brauman, ancien président de MsF, soutient que le simple fait de déterminer et tracer la frontière entre le juste et l'injuste est en soi un acte politique.

Si l'action humanitaire ne peut être assumée par les États en tant qu'initiateurs ce n'est donc pas pour de fausses pudeurs outragées d'apolitisme mais simplement parce que les États sont par nature suspects de servir leurs intérêts, fût-ce au détriment des autres populations comme parfois des leurs.

Lorsque en 1994 l'opération Turquoise est envoyée par la France pour créer une zone de sécurité au Rwanda, au moment même où le Front patriotique rwandais commence à gagner la guerre, elle protège également, sous couvert d'action humanitaire, la fuite d'un grand nombre de génocidaires et la disparition des preuves de complicité.

La programmation du génocide était connue, notamment

---

1. Pierre de Senarclens, discours d'ouverture de l'Assemblée générale de l'OMCT, août 1998.

par la France, la Belgique, les États-Unis et les Nations unies. Aucun d'eux n'est intervenu pour l'empêcher. Lorsque l'avion transportant le président Juvenal Habyarimana et son homologue burundais fut abattu, déclenchant la mise en marche du génocide, les gouvernements ne bougèrent pas plus. Plus grave encore, la mission des Nations unies au Rwanda (Minuar) se retira, abandonnant à la mort de nombreux civils qui s'étaient placés sous sa protection.

Dans son rapport annuel, l'*Human Right Watch* écrit : « Bien avant que le génocide commence, nous avons alerté la communauté internationale... Une fois que le génocide a commencé, nous avons œuvré jour et nuit pour convaincre la communauté internationale que le génocide n'était pas le résultat de deux peuples en guerre mais bien le massacre organisé et mis en place par un groupe relativement restreint d'extrémistes qui pouvaient être identifiés et arrêtés. Tragiquement, la communauté internationale ne l'a pas cru jusqu'à ce que des centaines de milliers de personnes soient décédées. »[1] L'*Human Rights Watch* fut sans doute l'une des premières ONG à exiger une enquête sur les coupables complicités, financières et de ventes d'armes, dont continuèrent à bénéficier les auteurs du génocide, notamment en France, en Afrique du Sud, en Égypte et en Ouganda, et ce malgré l'embargo international et la mise en œuvre du génocide.

Dans un tel contexte, la « faute de temps » faite par la France lors du lancement de l'opération Turquoise, France qui depuis trois ans et demi maintenait des troupes au Rwanda à la demande du président Habyarimana, n'a pas été expliquée de manière satisfaisante. « L'opération Turquoise est marquée par une ambiguïté fondamentale qui est, pour partie, la faute de la France, pour partie la faute de la communauté internationale. Cette dernière a volontairement bridé l'intervention française en lui assignant une fonction exclusivement humanitaire. Résultat : on a appelé tous

---

1. *Human Rights Watch*, Rapport annuel, 1994/1995, traduction libre.

les belligérants à observer un cessez-le-feu – au moment, d'ailleurs, où le Front patriotique rwandais était en train de gagner la guerre –, ce qui pouvait permettre aux auteurs du génocide de se remettre en selle. En vérité, la seule mission digne du devoir humanitaire était de mettre hors d'état de nuire les assassins au lieu de planter un drapeau blanc, d'ouvrir des dispensaires ou d'importer de l'eau. Dès lors que cet objectif était inatteignable, parce que le Conseil de sécurité de l'Onu en avait décidé autrement, les conséquences de cette intervention étaient totalement prévisibles », écrit Rony Brauman, qui avertit alors : « Attention, Paris doit choisir son camp. Ou bien l'armée française neutralise, dans son périmètre de sécurité, les principaux auteurs et les commanditaires du génocide, ou bien elle se cantonne dans son rôle musclé de gardien de square et l'inévitable se produira, c'est-à-dire que les Forces armées rwandaises vont reconstituer leurs forces, poursuivre leur propagande raciale et démentielle et faire de dizaines de milliers de personnes des machines à tuer, exécutant les ordres. »[1] Il était malheureusement déjà trop tard pour être écouté par un pays dont la politique ne brilla pas toujours par sa transparence. Lorsque Alain Juppé, ministre des Affaires étrangères, déclare, en juin 1994, « la France n'aura aucune complaisance à l'égard des assassins ou de leurs commanditaires », est-il plausible qu'il ignore que deux mois plus tôt, « le 15 avril 1994, l'armée française a mis à la disposition de Mme Agathe Habyarimana, veuve du président rwandais assassiné, et de certains des notables de son entourage parmi les plus compromis dans les préparatifs du génocide et des massacres politiques, un avion leur permettant de rallier la France » ?[2]

---

1. Rony Brauman, « Une monstrueuse manipulation », *L'Express*, 28/07/1994.
2. *La Justice internationale face au drame rwandais*, sous la direction de Jean-François Dupaquier, Éditions Karthala, 1996.

La Belgique, en 1998, a effectué son *mea culpa* au cours d'une Commission d'enquête parlementaire dont le rapport a été rendu public. Ses responsabilités sont graves et lourdes, mais au moins reconnues. Elle a en outre donné à la justice de son pays les moyens de chercher à s'accomplir et de poursuivre les présumés génocidaires réfugiés sur son territoire [1].

Que dire de la « mission d'information » sur le Rwanda derrière laquelle s'est retranchée la France, ou des atermoiements à laquelle elle a longtemps soumis son système judiciaire ? « Les officiels français ont peur de se prononcer parce qu'ils ignorent ce que la France a fait avant, pendant et après le génocide », écrit le journaliste Stephen Smith [2].

Assez bizarrement, au-delà de la volonté de maintenir l'hégémonie francophone en Afrique face au « concurrent » anglophone, il est en effet assez difficile de définir la politique française en Afrique. Un journaliste du *Wall Street Journal* ironise à ce propos : « La catastrophique politique française au Rwanda de 1990 à 1994 démontre la politique néo-coloniale française par les anachronismes qui s'y sont produits... En fait, la France a supporté le génocide au Rwanda parce que dans son esprit il n'y avait rien de nouveau. Ce n'était pas les Hutus contre les Tutsis, mais les francophones contre les anglophones. Après tout, les gens qui apprécient le beaujolais et le camembert, comme l'apprécient habituellement les leaders africains, ne sont pas supposés commettre un génocide. » [3]

---

1. Cependant, la presse a récemment révélé qu'un rapport confidentiel dénonçant le manque de préparation des casques bleus belges avait été caché à la Commission d'enquête parlementaire par des responsables de l'état-major. Pascal Sac, « Un rapport ravive le syndrome rwandais », *La Libre Belgique*, 5/02/2000.
2. Stephen Smith, « La Nécessité d'une commission d'enquête française », *Libération*, 2/02/1998.
3. Gérard Prunier, « *The Fall of the French Empire in Africa* », *Wall Street Journal*, 22/01/1997, traduction libre.

Le président américain Bill Clinton a présenté ses excuses à Kigali.

Le pape, confronté aux preuves que de nombreuses associations ont rassemblées pendant deux ans, a fini par admettre que certains des membres de l'Église catholique, prêtres et religieuses, semblaient avoir pris part au conditionnement des « futurs assassins » ainsi que directement aux massacres et pouvaient, en tant que tels, être amenés à répondre de leurs actes devant un tribunal.

Par contre, l'Onu n'hésite pas à se soustraire à la responsabilité de ses actes. L'Onu est responsable d'avoir refusé au général Dallaire l'autorisation de procéder à la récupération des armes, distribuées aux assassins potentiels, en même temps que des listes détaillées désignant les futures victimes, alors même que le général Dallaire avait alarmé le Département du maintien de la paix de l'extermination prévue des Tutsis et Hutus modérés. L'Onu est responsable d'avoir décidé le retrait total des forces internationales pour satisfaire la Belgique, laquelle, après le massacre de dix de ses soldats dans des conditions provoquant un grand émoi populaire, avait décrété son retrait unilatéral. Mais l'Onu, sous couvert d'immunité diplomatique, refuse d'engager juridiquement sa responsabilité et celle de Boutros Boutros-Ghali, alors secrétaire général, ainsi que celle de Koffi Annan, chef des opérations de maintien de la paix.

« Je suis choqué que Bill Clinton doive justifier son comportement sexuel et que l'Onu puisse refuser toute explication sur le troisième génocide incontestable du siècle, le premier depuis qu'elle existe. L'Histoire risque d'être sévère »[1], déclare le parlementaire belge Alain Destexhe, initiateur de la Commission d'enquête parlementaire et ancien secrétaire général de MsF international. Il poursuit : « Kofi Annan et Boutros Ghali n'avaient-ils pas l'obligation morale

---

1. Propos recueillis par Stephen Smith, « Rwanda : le Retrait de l'Onu a permis le génocide », *Libération*, 2/02/1998.

– sinon juridique, selon la Convention sur le génocide –
d'informer les autres États du Conseil de sécurité voire de
l'Assemblée générale, ou encore l'opinion publique de ce qui
se préparait ?... Le Secrétariat ne peut pas se contenter de
rejeter la responsabilité de l'échec de l'Onu sur la Belgique,
la France et les États-Unis. Il s'agit plutôt d'une responsabilité partagée. Kofi Annan devrait rendre publics tous les
échanges de correspondance entre Kigali et New York ainsi
que les communications qui ont été faites au Conseil de
sécurité sur ce sujet. Il n'y a nul secret touchant à la sécurité
internationale... On créerait (au contraire) un précédent
salutaire où chaque fonctionnaire, chaque politique se trou-
verait face à sa responsabilité lorsqu'il aurait connaissance
d'un événement aussi inédit, aussi singulier, aussi exceptionnel qu'un génocide. » [1]

Ces dramatiques événements démontrent à quel point il
importe que les ONG humanitaires et leurs réseaux d'information se maintiennent sur le devant de la scène, indépendantes, attentives, conscientes des conséquences de leurs
actes, assumant pleinement leur rôle, secondées et non pré-
cédées par les États.

---

1. Alain Destexhe, « Les silences des Nations unies », *Libération*, 24/03/1998.

IV

Le mouvement humanitaire
et son cadre d'action

« Chacun doit en permanence revoir ses certitudes anté-
rieures, n'être sûr de rien. Il n'y a pas non plus de garantie
pour l'action humanitaire. Je suis certain de la morale, de la
méthode mais pas des missions prises une à une, ni de
demain. » [1]

Universalité et inaliénabilité des droits fondamentaux

« Tous les êtres humains naissent libres et égaux en dignité
et en droits [...], tout individu a droit à la vie, à la liberté et
à la sûreté de sa personne. » [2] Ces deux articles contenus
dans la Déclaration universelle des droits de l'homme résu-
ment l'ensemble des droits fondamentaux de la personne,
dont principalement ceux touchant à son intégrité physique.
En conséquence, ils impliquent l'interdiction de la torture,
de la détention arbitraire, des exécutions, des disparitions,
des menaces graves et de l'utilisation volontaire de la terreur
comme technique de gouvernement.

Ces droits sont universels, donc applicables à chaque individu à travers le monde. Ils sont inaliénables, donc rien,
jamais, nulle part, ne justifie qu'ils soient enfreints. Ils sont

---

1. Bernard Kouchner, *Dieu et les Hommes, op. cit.*
2. Articles 1 et 3, Déclaration universelle des droits de l'homme, 10/12/1948.

légalement protégés à travers nombre de traités internationaux et de lois internes, mais le texte de référence le plus
couramment invoqué, et sans doute le plus complet, de
défense des droits fondamentaux reste la Déclaration universelle des droits de l'homme. Cette Déclaration a été, est
et sera sans doute encore parfois opportunément taxée d'être
l'instrument partial d'une culture occidentale qui tente de
s'imposer.

Adoptée à la quasi-unanimité des voix par l'Assemblée
générale des Nations unies [1] comme étant « l'idéal commun
à atteindre par tous les peuples et toutes les nations », elle
s'impose à tous les États membres comme « aux territoires
placés sous la juridiction des Nations unies ».

Traduite en plus de trois cents langues et dialectes devant
lui assurer une large diffusion, la Déclaration universelle des
droits de l'homme peut se targuer d'être le texte le plus vir-
tuellement « universel », le plus traduit au monde. « Ce projet
(de traduction) est porteur d'un symbole particulier. Il nous
apporte une image de la diversité mondiale, comme une
riche tapisserie faite de tant de différentes langues et de tant
de différents peuples. Mais, en même temps, il nous
démontre à tous qu'à travers nos diverses formes d'expression, nous pouvons parler le "langage commun de l'humanité", le langage des droits de l'homme, tel qu'il est défini
dans la Déclaration universelle. » [2]

La légalité de son universalité a été renforcée par l'affirmation du principe des droits fondamentaux à travers
nombre de traités internationaux signés et ratifiés librement
par la plupart des États. « De nombreuses conventions relatives aux droits de l'homme sont directement inspirées de la
Déclaration universelle des droits de l'homme. Il suffit de
citer à titre d'exemple des conventions régionales conclues,

---

1. Seuls huit États s'étaient abstenus.
2. Mary Robinson, haut commissaire aux Droits de l'homme, citée dans « *The Universal Declaration of Human Rights is the Most Universal Document in the World* », *Press Release,* United Nations, 10/12/1999, traduction libre.

à commencer par la Convention européenne de sauvegarde des droits de l'homme et des libertés fondamentales qui fut adaptée en 1950, et qui fut suivie par une convention américaine en 1969 et une convention africaine en 1981. Une multitude d'autres textes font aussi référence à la Déclaration universelle, qui est l'un des premiers textes internationaux reconnaissant la valeur éthique et juridique des droits économiques, sociaux et culturels, ainsi que leur équivalence et leur interdépendance vis-à-vis des droits civils et politiques. Les droits de l'homme trouvent leur fondement dans la dignité humaine, qui est propre à chacun de nous. Cette dignité ainsi que le droit à la liberté et à l'égalité qui en découle sont inaliénables et inviolables. Ils prévalent sur les divers pouvoirs, y compris ceux de l'État qui peut toutefois les réglementer mais non les supprimer... Le caractère universel et indivisible des droits de l'homme a été confirmé à nouveau à l'occasion de la Conférence mondiale sur les Droits de l'homme qui s'est déroulée à Vienne au mois de juin 1993. » [1]

L'inaliénabilité des droits fondamentaux de la personne garantit l'impossibilité juridique et morale de les monnayer contre des alibis politiques ou culturels. L'inaliénabilité n'avantage pas une culture ou un État contre un autre : elle vise à protéger la vie de l'individu où qu'il soit et à tout moment. C'est le principe même de la Déclaration universelle de le proclamer, c'est la légitimité du « droit d'ingérence humanitaire » de le défendre.

Cosmopolitisme et transfrontiérisme

Le recours au « droit d'ingérence » humanitaire et la revendication des principes de la Déclaration universelle des droits de l'homme, sous peine de se décrédibiliser ou de se bana-

---

1. Extraits du discours prononcé par Tony Van Parys, ministre belge de la Justice, colloque du Palais d'Egmont, Bruxelles 28/10/1998, *op. cit.*

liser hors de propos, ne doivent pas servir de prétexte à la négation du cosmopolitisme et de ses valeurs.

Le « droit d'ingérence » humanitaire n'est pas une autorisation pour les pays dans lesquels il a émergé d'imposer aux autres son modèle politique ou économique comme universellement valable. Cette opportune, commune et néanmoins néfaste volonté d'imposer en son nom un mimétisme social aux pays voisins est un danger, bien réel, qui doit être sérieusement pris en compte. Lorsque, au Sommet de la Baule, en 1989, le président François Mitterrand décide de conditionner l'aide de la France aux pays africains – aide non pas humanitaire, il est vrai, mais de « coopération » –, à l'établissement par ces derniers d'élections libres et de multipartisme, il fait ainsi cette confusion. Encourager la démocratisation est évidemment fondamental. Cependant le multipartisme isolé, exporté dans un autre pays, n'est pas en soi garantie de liberté de pensée, d'expression ou de changement. Sans notamment d'accès préalable, réel et équitable, à l'information, à la connaissance, à un espace de liberté économique et politique, à la santé pour l'ensemble de la population, il risquerait de n'être rien de plus qu'une caution démocratique couvrant un régime « autoritaire ».

Il importe que les dirigeants des pays démocrates, comme tous les responsables de projets transfrontiéristes, conservent une nécessaire prise en compte des réalités socioculturelles. Dénier l'autorité traditionnelle des chefs de village, lesquels étaient souvent porteurs d'un consensus au sein de la population locale, pour donner « le pouvoir » à des responsables politiques « élus » ou nommés par le pouvoir central de l'État, qui dirigent des cantons dont la population ne les reconnaît pas, ou promouvoir l'utilisation du biberon dans des pays où l'eau saine et la stérilisation sont totalement illusoires ont eu, parmi d'autres initiatives, des conséquences suffisamment dévastatrices pour servir de leçons de modestie.

Au nom d'une universalité inadéquate, les « erreurs d'orgueil » foisonnent, dévalorisant le principe même de l'universalité, et négligeant la richesse que la multitude des cultures existantes à travers le monde constitue pour l'homme. Leurs contenus, comme le seul fait de leurs existences, démontrent qu'il peut exister différentes manières pour l'homme de s'organiser en sociétés démocratiques.

Certes, les États sont empreints des cultures dans lesquelles ils évoluent. Il est donc non seulement vain mais aussi néfaste de vouloir les unifier. L'inquisition, les guerres saintes, la colonisation, le communisme, le fascisme ont tous cherché à unifier la pensée sur la base d'un même concept présenté comme unique. Des millions d'hommes ont été exterminés au nom de cette mégalomanie. Loin de ces mouvements dévastateurs, l'ingérence humanitaire doit se garder d'y trouver son reflet.

Cependant, ces richesses, ces nécessaires tolérances face aux différences culturelles ne peuvent conférer à celles-ci le droit d'enfreindre les libertés fondamentales de la personne. Ainsi, pas plus les différences culturelles que les souverainetés nationales ne peuvent servir d'autorisation à un État pour asservir ses ressortissants.

Certains gouvernements prennent prétexte de la non-conformité culturelle des « revendications individualistes » contenues dans la Déclaration universelle des droits de l'homme avec une culture de sacrifice communautaire qui serait, elle, la véritable culture du pays en question. Telle semble notamment être la position défendue par la Chine, dont un journaliste, à l'occasion du cinquantième anniversaire de la Déclaration universelle des droits de l'homme, écrit : « La Chine hérite de traditions culturelles uniques transmises depuis cinq mille ans, et il est tout à fait naturel que son système de valeurs soit très différent de celui des États-Unis. À l'opposé des valeurs qui érigent les droits en critère absolu et donnent la priorité à l'individu, la Chine met l'accent sur l'harmonie sociale et collective entre les droits et les devoirs, entre l'individu et autrui ; on met plus l'accent sur des valeurs d'effacement de soi face aux autres, des intérêts privés face aux intérêts communs. Puisque l'histoire, le caractère national et la culture de ces deux pays sont si dissemblables, il est totalement absurde d'exiger que la Chine se conforme aux critères et au modèle américains pour gérer ses affaires »[1].

Outre l'argumentaire contestable[2], qui consiste à présenter les valeurs contenues dans la Déclaration universelle comme étant strictement américaine, ce qui reflète surtout l'actuelle politique de diabolisation des États-Unis par la Chine[3], la crédibilité d'un tel discours est totalement balayée par sa confrontation à la réalité chinoise. « Des centaines, voire des milliers d'opposants présumés et de militants ont été arrêtés pendant l'année 1998 [...] Des milliers de prisonniers politiques détenus sans jugement ou reconnus coupables à l'issue de procès iniques ces dernières années étaient toujours en prison. Parmi eux figuraient de nombreux prisonniers d'opinion. La torture et les mauvais traitements restaient endémiques, se soldant parfois par la mort de la victime. La peine capitale continuait d'être largement appliquée [...] (Malgré le fait que) la Chine ait signé en octobre 1998 le pacte international relatif aux droits civils et politiques, la répression de la dissidence s'est poursuivie... Les arrestations arbitraires se sont poursuivies dans toute la

---

1. Extraits d'un article signé Renmin Ribao, paru dans le *Quotidien du Peuple*, et publié par le *Courrier international*, n° 423, *op. cit.*

2. Le journaliste omet volontairement la participation internationale, dont celle du juriste chinois P. Wang, ayant prévalu à la rédaction de la Déclaration universelle des droits de l'homme en 1948, afin de justifier le refus de la Chine de se conformer à ses principes.

3. La Chine, qui ne s'est pas révélée à la hauteur des espoirs commerciaux portés sur elle (« Après vingt années d'ouverture, le marché chinois reste décevant. Il est moins important pour l'économie américaine que celui du petit Benelux », Bruno Birolli, *in* « Jiang Zemin réveille l'Amérique », *Le Nouvel Observateur*, 9-15/09/1999), doit faire face aux conséquences économiques intérieures de la désaffection commerciale. En durcissant son discours et en jouant la carte de « l'agressivité extérieure », Jiang Zemin tente à la fois de garder son image d'homme fort autour duquel il serait de l'intérêt de la population chinoise de rester liée et de préserver celle de la Chine comme « grande puissance » incontournable. Voir, à propos des voyages des intellectuels français en URSS, à Cuba et en Chine populaire, *Du pays de l'avenir radieux*, François Hourmant, Aubier, 2000.

région autonome du Xinjiang, des milliers de prisonniers politiques y sont incarcérés, nombre d'entre eux ont été torturés... La répression continuait contre les nationalistes et les bouddhistes tibétains dans la région autonome du Tibet, nombre de prisonniers ont été roués de coups et placés à l'isolement, certains si violemment qu'ils ont dû être soignés à l'hôpital, d'autres sont morts. Quatre poètes ont été arrêtés à Guiyang alors qu'ils envisageaient de lancer un magazine littéraire... Pour avoir divulgué leur arrestation à des journalistes étrangers, deux personnes ont été condamnées sans inculpation ni jugement à trois années de rééducation par le travail. »[1]

L'apparition spontanée d'associations privées vouées à la défense des droits de l'homme, l'existence de multiples revendications nationales, ethniques ou religieuses, ainsi que les actes de répression dont le gouvernement chinois se rend coupable, suffisent à nier « l'incompatibilité culturelle » et les « valeurs d'effacement de soi » prétextées par le pouvoir politique. Cette réalité atteste, au contraire, de la présence d'une aspiration de l'individu aux droits de l'homme[2].

Bernard Kouchner écrit : « Il faut protéger les hommes partout et ça n'a rien à voir avec leurs croyances et leurs proclamations. »[3] Il n'y a effectivement pas plus de justification à prétendre que certains peuples, certaines catégories humaines sont nées pour endurer terreur et mutilations qu'il n'y en avait pour justifier l'esclavagisme.

Peu importe dès lors que ce soit une coutume ancestrale qui donne le droit à la vindicte populaire de lapider les femmes infidèles ou qui permette de jeter les prisonniers

---

1. Amnesty International, Rapport annuel, *op. cit.*
2. Le 11/01/2000, les États-Unis ont décidé de soutenir, devant la Commission des droits de l'homme des Nations unies, une résolution condamnant l'aggravation de la situation des droits de l'homme en Chine. (*Cf.* « Les États-Unis vont condamner la Chine », *Libération*, 12/01/2000).
3. *Dieu et les Hommes, op. cit.*

politiques dans une fosse aux lions [1]. Peu importe que ce soit la loi nationale en vigueur qui autorise de couper la main au voleur de pomme ou d'électrocuter un criminel. Peu importe que le sacrifice humain revête une importante signification religieuse. Peu importe que ce soit une politique d'État qui permette de massacrer les membres d'une ethnie ou d'une religion différente de la sienne. Peu importe qu'à certaines époques les pays où ont émergé la plupart des associations humanitaires aient eux aussi écrasé, torturé, décapité ou brûlé leurs citoyens... Il ne s'agit pas de justifier un massacre par une extermination, une torture ici par une disparition là-bas. Le Moyen Âge est irrémédiablement révolu parce qu'à un endroit du monde des hommes ont conscience qu'il l'est. En cette conscience universelle, ils ne peuvent tolérer qu'ailleurs subsiste sous couvert de culture, de besoin supérieur de l'État ou d'obscurantisme qu'il faudrait laisser au temps le soin de dissiper, une quelconque domination établie sur la terreur et l'assassinat, sur l'écrasement et le mépris de la vie humaine.

Peu importent donc toutes ces fausses justifications, car il est une valeur supérieure à toutes les autres, inaliénable quels que soient les motifs invoqués pour l'enfreindre. Il est une valeur que porte l'homme en tant qu'homme, qui l'unit à tous les autres hommes, et réaffirme l'existence occultée d'une globalité humaine, donc son universalité. Il est un texte, la Déclaration universelle des droits de l'homme, engageant les États, qui permet de préserver et d'imposer cette valeur, essence même de l'humanitaire, partout et tout le temps. Il est des tribunaux qui permettent de juger ceux qui enfreignent les principes contenus dans cette Déclaration. Enfin, il est des « croisés du respect de la vie humaine », les humanitaires, tâchant de donner ces droits en bouclier à tous les persécutés de la terre.

Ces humanitaires, eux aussi, sont parfois confrontés à des

---

1. Comme le fit le président centrafricain Jean Bedel Bokassa.

accusations de partialité, de complexe de supériorité voulant s'imposer aux autres. L'objectivité n'est heureusement pas synonyme de nihilisme intellectuel mais semble plutôt découler de deux paramètres. Elle est, d'une part, fondée sur l'accumulation de connaissances, de questionnements, d'analyses, de réflexions, de curiosités intellectuelles, de tolérance et parfois d'intransigeances décidées honnêtement en fonction de tout ce qui précède et qui, dans leur méthode même, que ce soit ou non reconnu, participe d'une « connaissance culturelle ». D'autre part, elle découle de la multiplicité à la fois des sujets traités et de la diversité des personnes qui les traitent.

De même, la neutralité de l'organisation humanitaire peut dépendre de la multiplicité des régimes dans lesquels elle intervient et de la diversité des personnes, d'origines et de cultures, qu'elle y envoie. Les pionnières des associations humanitaires, comme la Croix-Rouge et Amnesty International, sont nées dans les relents d'un barbarisme européen. Et si le transfrontiérisme pousse naturellement les organisations humanitaires à intervenir partout dans le monde, elles se réinvestissent de plus en plus dans leur nation d'origine. « Comment pourrions-nous prétendre à une quelconque supériorité occidentale, alors que les grisâtres et les corpulents de Shankill Road ou du ghetto d'en face, toutes sectes confondues, catholiques et protestants, fournissent au genre humain une ornementation incompréhensible et parfois bestiale ? », interroge Bernard Kouchner[1]. Enfin, aucune des associations humanitaires digne de ce nom n'a, dans ses statuts, fermé le droit d'adhésion à des postulants en raison de leurs origines. Sous la bannière humanitaire de MsF, de l'*Human Right Watch*, d'Amnesty International ou d'AsF se côtoient des humanitaires de nationalités diverses. Cela, sans conteste, participe de leurs richesses comme cela peut porter

---

1. Bernard Kouchner, *Le Malheur des autres, op. cit.*

témoignage de l'objectivité ou de l'absence de prosélytisme dont ils sont pourtant parfois accusés.

Quant aux principes revendiqués et mis en œuvre par le mouvement humanitaire dans son ensemble, réfutant toutes considérations autres que celles contenues dans les droits fondamentaux de la personne, applicables partout et tout le temps, quel que soit le régime mis en cause, ils renvoient à la Déclaration universelle des droits de l'homme.

Les distinctions entre l'existence de droits inaliénables et transfrontiéristes et le respect du cosmopolitisme existent donc réellement, mais la confusion autour de cette frontière s'installe et surtout s'utilise aisément.

Après le retrait militaire russe d'Afghanistan en février 1989, les médecins sans frontières présents auprès des populations devinrent, malgré eux et par le simple exercice de leur métier, symbole de menace pour les Mollahs. « Les intégristes avaient pour objectif de rejeter les Occidentaux hors de l'Afghanistan. L'ingérence était trop réussie, l'influence des médecins des droits de l'homme devenait trop grande, la démocratie aurait pu gagner du terrain... Les Mollahs rechignaient à perdre leur influence sur les villageois face à des volontaires qui vaccinaient, opéraient, soignaient et accouchaient [...] Des musulmans fanatiques assassinèrent des volontaires français de l'humanitaire, voulant "chasser les satans humanitaires" [...] Nous devenions le prétexte d'une guerre civile [...] Il fallut alors se retirer. Nous étions arrivés à l'endroit exact où cesse l'ingérence et commence la guerre des civilisations. »[1]

La guerre et encore plus spécifiquement les épurations ethniques, que l'auteur en soit un État ou un groupe subversif, apparaissent comme la négation la plus flagrante de l'existence d'une globalité humaine et des droits fondamentaux inhérents à cet ensemble.

---

1. Bernard Kouchner, *Le Malheur des autres, op. cit.*

Depuis l'époque des guerres saintes, menées en obéissance au commandement divin, les « faiseurs de guerres » ont toujours cherché à se justifier. Menant la guerre pour des objectifs évidents d'enrichissement, de conquêtes de territoires ou de dominations politiques, ils n'hésitèrent jamais à prétexter de la sauvagerie ou de la non-conformité du peuple ennemi à leurs principes internes, et forcément présentés comme supérieurs, pour couvrir d'un quelconque « bien-fondé » leur entreprise de conquête. Vinrent ensuite les premières codifications des situations et des manières dans lesquelles il devenait ou non, sinon juste du moins légal, de guerroyer et avec lesquelles il fallut composer : ce fut la naissance du *jure belli* qui vise à réguler l'affrontement.

Recours à la force et appel des victimes

Aujourd'hui, la seule raison valable, même si d'autres sont toujours invoquées, pour justifier la guerre est paradoxalement de vouloir préserver la vie et les principes légaux qui la protègent, quand tous les autres moyens connus ont échoué.

Si dès 1945, lors de la création de l'Onu, la charte prévoit le recours à la force pour imposer la paix ou éviter les conflits, la Guerre froide qui rapidement s'installa fut sans conteste la grande responsable de la glaciation de ces principes.

L'intervention armée de l'Otan au Kosovo est probablement l'actuelle illustration de leur mise en œuvre. « L'idée de guerre éthique [invoquée par Tony Blair] doit être prise au sérieux [...] Le conflit du Kosovo est le premier grand conflit international de ces cinquante dernières années où les considérations éthiques ne sont pas la simple rationalisation morale de considérations géopolitiques. Il ne s'agit nullement de dire que les considérations géopolitiques sont absentes [...] mais que les considérations éthiques avancées par l'Otan ne constituent pas un leurre destiné à masquer des intérêts stratégiques [...] Il y a bel et bien une dimension éthique qui repose sur un principe fondamental : l'inopposabilité de la souveraineté étatique à des actes de répression ou de discrimination contre des minorités »[1], écrit Zaki Laidi, chercheur à la Fondation nationale française des sciences politiques.

L'Otan, qui réunit 19 états en son sein et se déclare ouverte à d'autres adhésions « de pays désireux et capables d'assumer les responsabilités et les obligations liées au statut de membre et dès lors que l'Otan aura déterminé que l'inclusion de ces pays servirait les intérêts politiques et stratégiques et accroîtrait son efficacité et sa cohésion » (article 39, le concept stratégique de l'Alliance, approuvé à Washington les 23 et 24 avril 1999), s'est engagée, pour la première fois de son histoire, à la tête d'une opération militaire, en bombardant la Serbie.

L'Alliance Atlantique justifie son intervention armée en affirmant « la profondeur de son engagement (pour l'instauration d'une stabilité plus large) par ses efforts visant à mettre fin aux immenses souffrances humaines engendrées par le conflit des Balkans [...] Les dix dernières années ont vu l'apparition de nouveaux risques complexes pour la paix et la stabilité euro-atlantiques, risques liés à des politiques d'oppression, à des conflits ethniques, au marasme économique, à l'effondrement de l'ordre politique et à la prolifération des armes de destruction massive [...] L'objectif essentiel (de l'Otan) consiste à sauvegarder la liberté et la sécurité de tous ses membres par des moyens politiques et militaires sur la base des valeurs communes que constituent la démocratie, les droits de l'homme et le règne du droit [...] (Mais) l'Alliance ne cherche pas ses avantages pour ses seuls membres » (Extraits, articles 3, 6 et 9, Concept stratégique de l'Alliance, *op. cit.*).

La guerre que l'Otan a entamée contre le gouvernement de Slobodan Milosevic, en République fédérale yougoslave, gouvernement responsable de l'assassinat de centaines de

---

1. Zaki Laidi, « Éthique et Souveraineté », *Libération*, 6/05/1999.

civils, hommes, femmes, et enfants albanais du Kosovo[1] et de la déportation de centaines de milliers d'autres civils (740 000 dans l'acte d'accusation lancé par le tribunal pénal international pour l'ex-Yougoslavie contre, entre autres, Slobodan Milosevic, le 24 mai 1999) a provoqué de nombreux débats, tant sur son opportunité que sur sa légitimité. De nombreuses manifestations ont éclaté un peu partout en Europe au cri de *Stop bombing*, avant de finalement rencontrer une adhésion timidement uniforme. Toutefois, même après la fin de l'intervention armée, des critiques continuent de se faire entendre. Ainsi, un journaliste du *Monde diplomatique* écrit : « La crise qui s'intensifia au Kosovo se produisit au moment même où les États-Unis avaient impérieusement besoin d'une occasion pour imposer leur leadership à l'Otan. Les vrais événements politiques qui provoquèrent la tragédie passaient en second derrière un objectif structurel... Les États-Unis sont maintenant contraints d'admettre qu'ils ont commis une grave erreur de se retrouver mêlés à des questions peu importantes et à intervenir dans de petits pays au préjudice de leurs rapports vitaux avec le Japon ou avec leurs anciens ennemis communistes, au détriment de leurs relations intérieures. »[2] Cette qualification de « questions peu importantes », s'agissant de l'assassinat systématique d'une population civile, est quelque peu surprenante. Quelques semaines avant la publication de cet article, une autre phrase publiée par le même journal interpelle pareillement le lecteur : « Si l'Otan se targue d'avoir empêché le pire au Kosovo, encore faut-il savoir à quel prix elle l'a fait. L'ensemble de la République fédérale de Yougoslavie se trouve aujourd'hui dans des conditions matérielles et politiques pires que celles d'avant la guerre. Onze semaines de bombardements ont causé des destructions estimées par un groupe d'économistes indépendants à 30 mil-

---

1. Chiffres suspectés par le Tribunal international au moment du conflit.
2. Gabriel Kolko, « Kosovo, succès militaire, défaite politique », *Le Monde diplomatique,* novembre 1999.

liards de dollars. »[1] Un tel point de vue amène à se demander
quelle importance ou quel prix certains journalistes occidentaux attribuent à l'article 3 de la Déclaration universelle des
droits de l'homme, qui dispose du « droit à la vie, à la liberté
et à la sûreté de sa personne ».

Au-delà de ces critiques qui, par ailleurs, ne proposent
aucune « solution de rechange », si ce n'est celle de garder
les mains propres et la conscience opportunément distraite,
il apparaît que près de trente années après l'affirmation posée
par MsF de la nécessité de transgresser les lois « injustes »
pour les forcer à s'adapter, cette nécessité et les questions
de légalité qu'elle suscite restent d'actualité.

Peut-on simultanément se revendiquer du droit humanitaire et bafouer les lois en vigueur ? Quels risques encourra-
t-on réellement en accordant un espace d'existence au
non-droit ? Peut-on simultanément défendre la valeur de la
vie humaine et fermer les yeux sur des massacres au motif
que la loi n'a pas prévu de cadres d'interventions ?

À ceux qui évoquent le strict respect de la légalité pour
condamner toute velléité d'intervention, un psychanalyste
répond ainsi : « De fait, tous les peuples mutilés sont les victimes de cette même lâcheté légaliste – qui invoque l'ordre
ou le règlement pour empêcher d'agir [...] L'Europe a des
faiblesses pour l'ordre établi et pour la botte (comme en 40,
ce n'est pas fini), des faiblesses pour cette délicieuse mauvaise conscience qui fait qu'après l'horreur on se demande
comment une chose pareille est possible ? Comment est-elle
même pensable ? ! Allons, c'est pensable et ça se répète. Ces
mêmes faiblesses pendant la guerre ont forcé les Américains
à venir libérer l'Europe de ces deux même idoles : du tyran
et du quant-à-soi, de la trique et du ventre mou [...] La
phobie de l'acte, doublée de la phobie de la loi, est le fait de
gens au demeurant très raisonnables pour qui l'homme doit
servir la loi et non la loi faire vivre les hommes. C'est là une

---

1. Xavier Bougarel, « Dans les Balkans, dix années d'erreurs et d'arrière-
pensées », *Le Monde diplomatique*, septembre 1999.

vaste pathologie qui trame notre actualité [...] par exemple, notre peur obsédante de la violence qui bien souvent ne fait que la redoubler. Le reste est plein de bavardages. »[1]

En droit romain, un principe général résumait déjà parfaitement le débat : « *Summum jus, summa injuria...* »[2] Pourtant, même parmi ceux qui soutiennent moralement l'intervention armée, certains doutent de sa légitimité et redoutent l'affaiblissement de l'Onu dans son rôle de grand régulateur des relations internationales qui en découle. Ainsi, Zaki Laïdi écrit : « Un problème majeur demeure, celui du passage de la justification éthique d'un conflit à sa légitimation internationale. Les brèches dans la souveraineté des États sont admises depuis longtemps. Le problème découle du fait que seuls les États (au sein de l'Onu) peuvent décider de légaliser ces brèches dans la souveraineté des autres [...] Or, ni les Russes ni les Chinois n'y sont prêts... Comment sortir de cette contradiction entre une guerre éthiquement justifiée et justifiable, et l'absence de consécration onusienne ? La seule vraie solution passe par la redéfinition des règles de légitimité internationale sur la définition d'une souveraineté éthique opposable, dans certaines conditions, à la souveraineté étatique. »[3]

Conférer aux États membres du Conseil de sécurité de l'Onu le droit exclusif de légitimer ou non toutes atteintes portées aux souverainetés nationales, leur donnant de ce fait, par exemple, la préséance du choix d'intervention humanitaire, ne se justifie pas plus que d'évoquer l'utilisation de la force armée comme seul exemple d'atteinte à ces souverainetés.

L'histoire du mouvement humanitaire démontre au contraire que les ONG humanitaires ont bel et bien conquis

---

1. Daniel Sibony, « Il n'y a pas de place ici », *Libération*, 27/05/1999.
2. Une application trop rigide de la loi peut conduire à l'iniquité et aboutir à des situations contraire à son esprit.
3. Zaki Laidi, *Éthique et souveraineté, op. cit.*

un droit, l'imposant justement avant qu'il ne le devienne légalement, de contrer la toute-puissance revendiquée par les souverainetés nationales lorsque celle-ci s'impose au détriment de la vie et de la liberté de tout ou partie des peuples vivant sur le territoire où elle s'applique.

Cette limitation de souveraineté n'a en rien besoin d'être justifiée par d'autres États mais l'est de fait et de droit par l'appel à l'aide des victimes, de l'épuration ethnique et des persécutions mises en place par le gouvernement de Milosevic dans ce cas précis, ainsi que par l'obligation de leur porter assistance. Plus que d'inventer de nouveaux principes pour se légitimer, il s'agit avant tout de donner force à ceux existants. La « non-assistance à personne en danger », dont l'esprit est évoqué à travers les résolutions 43/131 et 45/100 de l'Assemblée générale des Nations unies, n'est sans doute pas le dernier qui mérite d'être évoqué.

Malheureusement, et évidemment, les ONG humanitaires n'ont pas la capacité de pacifier le monde, pas plus, bien sûr, qu'elles ne peuvent recourir à la force armée. De ce point de vue notamment, l'existence de l'Onu revêt une importance fondamentale, mais ses récents échecs démontrent à quel point l'existence d'une multiplicité d'organismes voués au maintien de la paix ou à la protection des personnes ne peut qu'être le garant d'une plus grande efficacité, d'une meilleure objectivité.

D'un strict point de vue d'ingérence militaire, le dramatique génocide rwandais renforce l'extrême nécessité de ne plus accorder au Conseil de sécurité, tel qu'il fonctionne actuellement, par son silence ou par le veto d'un seul de ses États membres, le démesuré pouvoir purement politique d'autoriser un génocide sous la passivité forcée des autres.

Dans un camp de réfugiés kosovars en Albanie, la visite de Kofi Annan, secrétaire général de l'Onu, au cours du mois de mai 1999, provoque des réactions de défiance : « Nous ne faisons pas confiance à son organisation. Pendant la guerre en Yougoslavie, ils ont regardé et discuté sans rien faire. » [1] Par contre, la réalité de l'appel à l'aide des victimes, justifiant l'entrée en guerre de l'Otan, apparaît clairement dans ces mêmes témoignages. « Avec l'Otan aussi au début on n'y croyait pas. Lorsque, en mars, on a entendu à la télé qu'ils venaient de bombarder Belgrade, on s'est tous levés, on s'est embrassés... On savait que les Serbes auraient une revanche terrible, que sans doute on serait tous morts bientôt, mais on était si contents. » [2]

Les pays membres de l'Otan affirment dans la Déclaration de Washington, signée les 23 et 24 avril 1999 : « Nous, chefs d'États et de Gouvernements des pays membres de l'Alliance Atlantique Nord, déclarons notre volonté commune de défendre nos peuples, le territoire sur lequel ils vivent et leurs liberté, en nous fondant sur la démocratie, les droits de l'homme et le règne du droit. Nous affirmons notre engagement de promouvoir la paix, la stabilité et la liberté. Nous contribuerons à édifier une communauté respectueuse des droits de l'homme et des libertés fondamentales où les frontières sont plus ouvertes aux personnes, aux idées et aux échanges, où la guerre devient impensable. Nous réaffirmons notre foi dans les buts et dans la Charte des Nations unies. Nos objectifs fondamentaux sont une paix, une sécurité et une liberté durables pour tous en Europe et en Amérique du Nord. » Mais surtout cette déclaration précise : « Nous restons déterminés à opposer la plus grande fermeté à ceux qui se livrent à des violations des droits de l'homme, à la guerre et à la conquête de territoires. » [3]

Évidemment, les intentions affichées par l'Otan, ne l'exonèrent pas de l'obligation de respecter les conventions de Genève et des quatre protocoles additionnels, les coutumes de la guerre et les multiples obligations présentes dans les

---

1. Témoignage de réfugié recueilli par Florence Aubenas, cité dans « On aurait voulu Kofi Apache », *Libération*, 21/05/1999.
2. Témoignage de réfugiés, *op. cit.*
3. Déclaration de Washington, extraits, signée les 23-24/04/1999.

traités concernant le droit de la guerre et auxquels ont adhéré nombre de ses membres. Ainsi, l'*Human Right Watch* dénonce la mise en danger des populations civiles lors des bombardements effectués dans des conditions minimisant la prise de risque pour les soldats au détriment des personnes au sol. L'*Human Right Watch* condamne également l'utilisation de certaines bombes (CBU-87, RBL755) et la redoutée utilisation d'un autre type (CBU-89), lesquels, n'explosant pas toujours lors du largage, constituent un danger pour les populations civiles. En outre, leur largage enfreindrait le traité signé par les États membres de l'Otan, hormis les États-Unis et la Turquie, prohibant l'utilisation de mines antipersonnel[1].

Cependant, la nouvelle forme de coopération ONG/États dans un but humanitaire a démontré que, sous un contrôle vigilant et une dénonciation permanente de ses erreurs, elle est capable d'évoluer vers une protection effective des populations les plus fragiles, les plus martyrisées. Ceci à condition d'avoir préalablement essayé et de bonne foi échoué dans la mise en œuvre d'autres moyens de persuasion ou de pression – le déclenchement de la guerre ne pouvant être que l'ultime recours –, à condition de s'effectuer dans un cadre offrant le maximum de garanties d'indépendance et d'objectivité possible – dont fait partie la mobilisation internationale et la conformité à l'esprit du droit humanitaire international – et à la condition, enfin, d'exiger des États qu'ils respectent les critiques, mises en garde et recommandations, faites par les ONG humanitaires qui sont impliquées, afin que cette coopération soit réelle et complète.

Si la méthode appliquée par l'Otan ne rencontre pas toutes les exigences imposées par les traités internationaux, elle constitue néanmoins une avancée dans le domaine des droits de l'homme. L'engagement « d'opposer la plus grande fermeté à ceux qui se livrent à des violations des droits de

---

1. Voir « Kosovo Human Rights Flash #36, NATO Use of Cluster Bombs must Stop » 11/05/1999.

l'homme, à la guerre et à la conquête des territoires »[1] est en soi une formidable victoire des droits de la personne, car demain, quels que soient les enjeux ou au contraire l'absence d'intérêts en jeu, lorsque les humanitaires appelleront les États à les seconder et à assumer leurs responsabilités face à de graves violations des droits de l'homme, il devrait être beaucoup plus difficile pour les États membres de l'Otan de se soustraire à leurs obligations morales et juridiques sous couvert, notamment, de souveraineté nationale.

Bernard Kouchner, alors secrétaire d'État à la Santé et à l'Action sociale, soutenant depuis longtemps la nécessité d'intervenir au Kosovo, écrit à ce sujet : « À l'époque de la Guerre froide, l'action humanitaire s'est développée comme une force neutre par obligation et au sens où l'entend le CICR, afin de pouvoir agir dans tous les camps. Aujourd'hui, cette neutralité est devenue caduque. Pour les soins impartialité oui, neutralité non ! Laissons cette neutralité traditionnelle et parfois indispensable au CICR qui souhaite la conserver [...] Le droit d'ingérence, la protection des minorités face à l'agression s'imposent enfin [...] La tragédie actuelle démontre que l'action n'a pas été assez préventive [...] Dès 1992, il fallait aller au Kosovo, tous les ingrédients de la tragédie étaient réunis. Nous sommes certes aujourd'hui en retard, mais au moins nous agissons. Je pense que nous vivons un grand tournant positif en termes de droit international et de démarche politique. Après Auschwitz, le Cambodge et le Rwanda, il faut considérer comme un succès majeur le fait que les nations démocratiques agissent pour protéger, à l'intérieur d'un pays souverain, une minorité. Il sera de moins en moins possible demain d'opprimer à l'intérieur des frontières. C'est un signal terrible donné par la démocratie aux dictateurs [...] Si l'on fait évoluer de manière positive les États, les armées, l'idée même de protection des minorités, nous aurons enfin fait entrer les droits de l'homme

---

1. Déclaration de Washington, *op. cit.*

dans le droit international. Si l'on fait évoluer les États et les hommes politiques contre le chacun chez soi, contre les exactions d'un fascisme résiduel [...] cela s'appelle le droit d'ingérence. Demain, l'Onu le codifiera et l'appliquera [...] La réunion de l'Otan à Washington va exactement dans ce sens. » [1]

La création prochaine d'une cour de justice internationale ayant une compétence universelle va, elle aussi, dans ce sens. Lors des travaux préparatoires à sa création, nombre d'États ont fait part de leur volonté d'en accepter le contrôle judiciaire. « Le gouvernement qui souscrit à un texte, qui s'engage à le respecter, doit répondre de son application [...] La supervision internationale est la clé de voûte du système et dans bien des cas l'élément qui déclenche le changement [...] Lors des travaux de Rome, qui ont conduit à l'approbation du statut de la cour pénale internationale, la très grande majorité des pays qui ont approuvé ce statut ont clairement pris position contre l'impunité des auteurs des violations les plus graves du droit international » [2], disait en 1998 le ministre belge des Affaires étrangères.

L'inculpation, pour la première fois de l'Histoire, d'un président en fonction, Slobodan Milosevic, par Louise Arbour, procureur du tribunal pénal international pour l'ex-Yougoslavie, le 24 mai 1999, crée un précédent de poids pour l'avenir et la crédibilité d'une justice internationale. Elle témoigne de l'indépendance réelle de cette justice vis-à-vis des pouvoirs politiques des États, lesquels, dans une large majorité, malgré les bombardements dont ils sont auteurs, continuent à considérer Slobodan Milosevic comme le seul interlocuteur possible d'un plan de paix. Or, dans son communiqué de presse, Louise Arbour stipule que « si les accusés bénéficient de la présomption d'innocence, les preuves à la base de l'acte d'accusation soulèvent de

---

1. Bernard Kouchner, « Il sera de moins en moins possible d'opprimer à l'abri des frontières », *Le Monde*, 27/04/1999.
2. Extraits du discours d'Erik Derycke, colloque du Palais d'Egmont, *op. cit.*

sérieuses questions quant à la capacité des accusés d'être les garants d'un accord et *a fortiori* d'un accord de paix. L'acte d'accusation ne les rend pas moins appropriés. L'acte d'accusation met simplement en évidence leur inaproppriation » [1].

Cette réelle indépendance d'une justice internationale en construction liée à l'efficacité accrue d'ONG indépendantes et aux déclarations d'intentions de l'Otan ainsi qu'aux précédents créés par ses actes contribuent à donner à la communauté internationale l'assurance d'une volonté, et d'une instrumentalisation réelle de cette volonté, d'une meilleure protection des droits fondamentaux de la personne.

Les fondements juridiques de l'intervention humanitaire

Après le Rwanda et le Kosovo, la tragédie du Timor oriental a rappelé, une nouvelle fois, l'impérieuse nécessité d'une réaction rapide de la communauté internationale pour faire cesser les massacres que les États directement responsables se montrent peu enclins à combattre.

Lorsque la voie légale, en droit international, c'est-à-dire le mandat donné à une force d'intervention par le Conseil de sécurité, permet une réaction efficace, c'est évidemment celle qu'il faut suivre et privilégier. Malheureusement, même lorsque c'est le cas, comme au Timor, à la demande de l'Indonésie, la lenteur des procédures ne permet pas d'éviter la mort de milliers de civils innocents. C'est devant ce constat lamentable que des ONG sont entraînées à intervenir sur le terrain pour venir en aide à ceux qui sont désespérément abandonnés et impunément massacrés.

Dans des termes qui paraissent très lucides, le secrétaire général de l'Onu, Kofi Annan, a récemment posé le débat à

---

1. Déclaration de Louise Arbour, *Press Release*, 27/05/1999, traduction libre.

la suite d'une action « sans consensus international ni autorité légale » au Kosovo : « Une lumière crue a été jetée sur le dilemme de ce qu'on appelle "l'intervention humanitaire". D'un côté, est-il légitime pour une organisation régionale d'utiliser la force sans mandat de l'Onu ? Est-il admissible de laisser se poursuivre impunément des violations brutales et systématiques des droits de l'homme ? L'inaptitude de la communauté internationale, dans le cas du Kosovo, à concilier ces deux intérêts contraignants est d'évidence tragique [...]. Aux tenants de l'une et de l'autre position, on peut poser des questions difficiles. À ceux pour lesquels la menace la plus sérieuse pesant sur l'avenir de l'ordre international résulte de l'usage de la force en l'absence d'un mandat du Conseil de sécurité, on pourrait dire : oubliez le Kosovo un instant et considérez le Rwanda. Imaginez une minute que dans les jours et les heures précédant le génocide, il y ait eu une coalition d'États prête à intervenir et désireuse de défendre la population tutsie, mais que le Conseil ait refusé ou tardé à donner son feu vert. Semblable coalition aurait-elle dû rester passive devant les progrès de l'horreur ? [...] À ceux pour lesquels l'intervention au Kosovo a inauguré une nouvelle ère où les États et des groupes d'États pourront agir militairement en dehors des instances établies pour faire respecter le droit international, on pourrait aussi demander : n'y a-t-il pas un risque que de telles opérations ne sapent le système de sécurité, imparfait mais encore debout, créé après la Seconde Guerre mondiale et qu'elles ouvrent un dangereux précédent à de futures interventions sans qu'on dispose de critères irréfutables permettant de savoir qui pourra invoquer ces précédents et en quelles circonstances ? » [1]

Certes les progrès du droit international sont encourageants dans un monde qui reste dominé par des rapports de force qui le divisent encore en « zones d'influence ». La résolution 1244 sur le Kosovo, adoptée par le Conseil de sécurité

---

1. Kofi Annan, « Deux concepts de la souveraineté », *Le Monde*, 22/09/1999.

le 10 janvier 1999, exige que « la République fédérale de Yougoslavie mette immédiatement et de manière vérifiable un terme à la violence et à la répression au Kosovo ». Cette résolution prie le secrétaire général de nommer un représentant spécial pour « faciliter l'instauration au Kosovo d'une autonomie et d'une auto-administration substantielle ». Ce sera Bernard Kouchner, dont on sait que la tâche immense qu'il assume n'est pas suffisamment facilitée par l'octroi de moyens promis mais pas toujours mis à sa disposition. « Le docteur Kouchner et son équipe réalisent tant bien que mal une impossible mission. Ils ont besoin des moyens qu'on leur a promis, pas d'une campagne malveillante. »[1]

C'est dans le cadre de cette évolution juridique positive que l'Assemblée générale a proclamé le libre accès aux victimes des catastrophes pour les organisations humanitaires (résolutions 43/131 du 8/12/1988 et 45/100 du 10/12/1990), provoquant ainsi une légère brèche dans « le silence feutré des souverainetés protectrices des tyrans »[2].

Mais l'urgence, qui se satisfait rarement des résolutions de l'Onu, est à la protection des populations civiles. Aujourd'hui, interroge le président de Médecins du Monde, qui protège celles de Grozny ? La Tchétchénie, écrasée par les bombes russes, est là pour nous le rappeler : les notions de souveraineté et de non-ingérence dans les affaires intérieures des États régissent encore fortement la politique internationale. Résultat : le calvaire des civils tchétchènes s'amplifie chaque jour, le droit international humanitaire censé les protéger vole en éclats. La communauté internationale se confond en déclarations de convenance, proposant pudiquement aux Russes de bombarder « avec modération »[3].

En réalité, l'action humanitaire est en train de connaître une passe difficile, celle sans doute qui marque son accession

---

1. « La colère de monsieur Kouchner » éditorial du *Monde,* 4/02/2000.
2. Mario Bettati, « Le droit d'ingérence n'est pas mort au Kosovo », *Le Monde,* 5/01/2000.
3. Jacky Mamou, « L'urgence est à l'utopie », *Le Monde,* 5/01/2000.

à l'âge adulte, concomitant avec l'élargissement de son champ d'application. Comme le soulignait Alexandre Adler en 1993, « l'action humanitaire, expression de la montée de la pensée démocratique dans le domaine de la politique étrangère, dérange les habitudes des communistes et des conservateurs. Aux uns, elle rappelle le caractère inacceptable des dictatures tiers-mondistes qu'ils ont pris l'habitude de soutenir par automatisme ; aux autres, elle crée l'embarras d'une irruption des droits de l'homme dans le droit des États, qui dérange de nombreux calculs et surtout introduit des instances supranationales, essentiellement juridiques et médicales, dans le mécanismes des relations d'État à État ». Et Alexandre Adler établit ce constat, désespérant et néanmoins teinté d'un certain optimisme : « Cela fait donc beaucoup de monde pour vilipender l'action humanitaire, n'était le tenace et grandissant soutien de l'opinion publique, notamment européenne, qui y voit, à juste titre, une réponse, même insuffisante, à l'impuissance de nos politiques étrangères »[1].

La question fondamentale – qui divise les juristes et même les responsables de certaines ONG – gravite autour de la notion de « devoir d'ingérence », concept forgé par Bernard Kouchner en 1987, à l'occasion de la première Conférence internationale de droit et de morale humanitaires[2]. Les partisans d'un processus de réaction ancré seulement dans les limites autorisées par une application rigoureuse des principes contenus dans les traités internationaux s'empressent néanmoins de souligner que le droit international impose à chaque État de réagir à des violations des droits fondamentaux de la personne. Ils font, notamment, référence au préambule de la Charte des Nations unies et à son article

1. Alexandre Adler, « L'humanitaire en question : morale et politique », *Ingérences*, juin 1993.

2. *Cf.* Olivier Corten et Pierre Klein : *Droit d'ingérence ou obligation de réaction ?*, Éditions Bruylant ULB, 1996 ; Éric David, « Droit ou devoir d'ingérence humanitaire », *Journal des juristes démocrates*, Bruxelles n° 80, juin 1991 ; Bernard Kouchner et Mario Bettati, *Le Devoir d'ingérence,* Denoël, 1987.

premier qui encourage les États à respecter les droits de l'homme et les libertés fondamentales. Encore faut-il définir « de quelle manière peut s'exercer cette obligation de réaction à laquelle tous les États sont tenus »[1].

C'est en répondant à cette question que se distinguent ceux qui favorisent l'idée d'ériger l'ingérence en règle générale et ceux qui n'estiment pas devoir recourir à ce concept. Si les uns et les autres s'accordent sur les moyens à mettre en œuvre dans le cadre d'une réaction faisant appel à des mesures non armées, il n'en va pas de même lorsqu'il s'agit d'un recours à des mesures armées. Dans cette hypothèse, se profile le démon du courant interventionniste, voire impérialiste ou colonisateur, destructeur du sacro-saint principe de la souveraineté des États. Certains vont jusqu'à soutenir, pour combattre toute velléité d'une intervention armée dans un but humanitaire, que le « soi-disant droit d'ingérence n'apporte rien, sinon confusion et risque de dérapage »[2] puisque la réaction armée unilatérale est interdite en droit international. Cette interdiction est fondée sur l'article 2 § 4 de la Charte qui dispose que « les membres de l'Organisation s'abstiennent, dans leurs relations internationales, de recourir à la menace ou à l'emploi de la force, soit contre l'intégrité territoriale ou l'indépendance de tout État, soit de toute autre manière incompatible avec les buts des Nations unies ». Le débat est vaste, comme il le fut par ailleurs en droit interne. Ne peut-on pas considérer que, dans son application, cet article impose une hiérarchie des valeurs en droit international et que, par exemple, la violation massive des droits individuels l'emporte sur le maintien de la paix ?

La jurisprudence, en droit interne, a mis longtemps pour reconnaître comme cause de justification « l'état de nécessité »[3], c'est-à-dire précisément la mise en œuvre d'une hiérarchie des valeurs.

---

1. O. Corten et P. Klein, *op. cit.*
2. Jean Salmon, préface de *Droit d'ingérence ou obligation de réaction ?,* op. cit.
3. L'état de nécessité reconnu en droit interne « en tant que fait justificatif

Pourquoi faudrait-il considérer que le maintien de la paix doit l'emporter sur l'épuration ethnique au seul motif que la première est expressément visée par l'article 2 § 4, alors que la seconde est implicitement mais certainement visée parmi les « matières incompatibles avec les buts des Nations unies » ? L'état de nécessité international, renforcé par la notion de non-assistance à personne en danger, ne pourrait-il justifier le recours à des mesures armées dans le cadre d'une ingérence destinée à mettre fin à un massacre ethnique ? La « paix à tout prix », c'est l'esprit de Munich. La tentation munichoise est inhérente aux démocraties modernes qui ont fait du bien-être et de la vie les valeurs suprêmes. Si la vie est la valeur suprême, il n'y a rien qui mérite que l'on expose sa vie à l'occasion, par exemple, d'une ingérence armée. L'article 2 § 4 justifie ainsi la bonne conscience de l'esprit munichois [1].

Certes, la question se pose de savoir qui sera le juge de la hiérarchie des valeurs dans l'hypothèse d'une intervention armée unilatérale et non reconnue par le Conseil de sécurité. Tous les auteurs s'accordent à considérer que la reconnaissance d'un « état de nécessité » comme cause de justification ne peut s'apprécier que postérieurement à la commission du délit, dont on a dit, selon une belle formule, que son auteur agissait « pâle mais déterminé ». C'est l'ensemble des circonstances qui entourent l'État dans lequel a évolué l'agent qui déterminent la justification de son choix, donc, par conséquence, l'ordre hiérarchique des valeurs qu'il a entendu privilégier. Il n'y a donc pas de règle préétablie,

---

spécifique » peut être défini « comme la situation dans laquelle se trouve une personne qui n'a raisonnablement d'autre ressource que de commettre une infraction pour sauvegarder un intérêt égal ou supérieur à celui que cette infraction sacrifie » (Françoise Tulkens, *Introduction au droit pénal*, Éditions Story Scientia, 1998).

1. *Cf.* Alain Finkielkraut, « La guerre au Kosovo : une guerre munichoise ? », conférence du 10/05/1999, ULB ; Robert Legros : *L'Avènement de la Démocratie*, Grasset, 1998. Le philosophe Robert Legros y défend l'idée d'ingérence au nom d'une appartenance commune à l'humanité.

conventionnelle et légale, mais une attitude morale qui dicte la conduite d'un comportement. Si cette analyse peut être transposée en droit international, elle pourrait servir de fondement à la justification juridique de « l'obligation d'ingérence ». Bien sûr, le concept d'ingérence doit demeurer l'exception et ses critères doivent dès lors être d'interprétation restrictive [1].

Le principe dominant reste le respect dû à la souveraineté des États et l'application des règles du droit des gens qui ont permis d'instaurer des juridictions internationales devant lesquelles sont traduits et jugés ceux-là même qui transgressent les droits fondamentaux de l'homme [2]. Le développement récent de ces juridictions et les compétences de plus en plus larges qu'elles reçoivent sont encourageantes et pas nécessairement incompatibles avec le droit d'ingérence humanitaire.

Discours politiques : rôle et impact

Menacés dans leur souveraineté, placés sous les feux d'une surveillance internationale, de plus en plus contraints de se soumettre à la mondialisation du contrôle judiciaire, les États cherchent à se défendre. Ils développent diverses formes de « protectionnisme » qui, entre autres résultats, grèvent l'efficacité du combat humanitaire.

---

1. Ce nouvel équilibre instauré entre le respect des droits humains et l'importance du maintien de la paix semble par ailleurs confirmé par les constats posés par Kofi Annan ou Mary Robinson, dénonçant l'irrespect des droits de la personne comme cause de situation de conflit (*cf.* Kofi Annan et Mary Robinson, dans « Les droits humains, une arme pour la paix », *op. cit.* ; voir *infra*, Rôle complémentaire des ONG et des États).

2. La Commission des Nations unies sur les violations des droits de l'homme au Timor oriental demande la création d'un tribunal international pour « juger les militaires et les politiciens responsables » des crimes qui y ont été commis. Son rapport relève notamment que « l'intimidation, la terreur, la destruction des biens, le déplacement forcé et l'évacuation de la population n'auraient jamais été possibles sans la participation active de l'armée indonésienne et de ses plus hauts gradés » (*cf.* « Timor : l'Onu accuse l'armée indonésienne », *Libération*, 31/01/2000).

Outre les techniques éprouvées des pays dictatoriaux, tels le contrôle de la presse, l'interdiction et la persécution des associations humanitaires, la surveillance des informations échangées entre ses ressortissants et « l'extérieur », ou plus rarement et plus radicalement le refus de ratifier les traités et autres textes internationaux de défense des droits de l'homme, d'autres systèmes de défense font leur apparition. Des ONG factices sont créées [1] dans le seul but de veiller à la promotion de l'État.

Même les pays dits démocratiques assistent à la montée d'un marketing tapageur d'autocongratulation en matière de droits de l'homme. Afin de parer à toute critique éventuelle, s'autoproclamant « héros des droits de l'homme », les gouvernants tentent de prendre de vitesse les ONG humanitaires sur leur propre terrain.

Dans ce nouveau contexte, les ONG humanitaires, qui sont devenues « irremplaçables dans la protection des droits de l'homme [...] grâce à leur connaissance du terrain et à la faculté de mobiliser la société civile » [2], voient alternativement leurs efforts de mobilisation contrés par les discours rassurants diffusés par les États ou leur crédibilité mise en cause par leurs recours ponctuels à ces mêmes États.

« Au cours de ces cinquante dernières années, les droits de l'homme ont acquis, lentement mais sûrement, une valeur prioritaire en tant que thème politique » [3]. Cependant, cette évolution, qui pourrait constituer un important progrès, est loin d'être toujours vierge de détournements ou de manipulations planifiées : « Actuellement, les droits de l'homme font plus que jamais partie du discours politique, (pourtant) ils sont parfois utilisés pour manipuler le citoyen. (Lorsque)

---

1. Comme, par exemple, Amnesty-Tunisia, créé par le gouvernement tunisien afin de « remplacer » Amnesty International sur son territoire et de vanter les mérites de sa politique en matière de droits de l'homme.

2. Extraits du discours d'Eric Derycke, ministre belge des Affaires étrangères, colloque du Palais d'Egmont, *op. cit.*

3. Extraits du discours de Tony Van Parijs, ministre belge de la Justice, colloque du Palais d'Egmont, *op. cit.*

l'on place le débat dans le cadre des rapports de pouvoir et d'intérêt, l'objectivité du débat en souffre. Difficile de distinguer la vérité du mensonge, la pertinence de la non-pertinence, d'autant plus que même le compte rendu objectif des faits devient un élément d'enjeu de pouvoir. »[1]

Force est effectivement de constater que les discours politiques non seulement sont loin d'être toujours un moteur de progrès mais qu'ils sont même, parfois, les paravents d'une action ou d'une inaction dont les effets sont contraires aux intentions annoncées.

Ainsi par exemple, Action contre la faim soulève la responsabilité du discours politique, prévalant au sein de la communauté internationale, dans la persévérance de la crise dans la région des Grands lacs : « L'absence de réponse internationale au conflit des Grands Lacs repose sur une seule question : qui sont les "bons" et qui sont les "méchants" aujourd'hui en République démocratique du Congo, en Éthiopie, en Somalie [...] (Pourtant), il n'y a pas de crises humanitaires, il n'y a que des crises politiques qui ont des conséquences humanitaires. Il en va de même pour les conflits ethniques, qui ne sont que des luttes de pouvoir aux conséquences ethniques [...] Il n'y a pas de causes humanitaires "justes" [...] mais (il y a) le droit des victimes à être secourues et protégées. »[2]

Ces reproches furent également faits à l'encontre de l'attitude adoptée durant quelques années par la communauté internationale face à la situation en ex-Yougoslavie. Parlant de Sarajevo en 1992, Rony Brauman critique avec virulence l'Onu, dénonçant « le maquillage de la démission politique, par laquelle l'Onu s'est fait l'assistante sociale de la purification ethnique »[3].

---

1. Extraits du discours de Maxim Stroobant, professeur à la Vrij Universiteit von Brussel, (VUB), colloque du Palais d'Egmont, Bruxelles, *op. cit.*
2. ACF, Interventions, *op. cit.*
3. Rony Brauman, 8/12/1999, Arte, *op. cit.*

Face aux violents affrontements qui ont ensanglanté le Timor oriental, la longue passivité du Conseil de sécurité de l'Onu comme celle des États, décidée pour des raisons plus politiques que juridiques, est à nouveau mise en cause. En octobre 1999, *Le Monde diplomatique* affirme : « C'est la volonté politique qui fait défaut et non le droit international pour prévenir, agir et punir face à une tragédie comme celle du Timor. »[1] L'intervention au Timor oriental eut, en effet, été juridiquement fondée. La Convention du 9 décembre 1948 sur la prévention du génocide faisait obligation aux États de prévenir ce crime, et de saisir les organes compétents des Nations unies. Confrontés à un veto du Conseil de sécurité, ils pouvaient saisir l'Assemblée générale (selon l'article 12 de la Charte). Enfin, la résolution 2625 de l'Assemblée générale des Nations unies traitant du droit des peuples à disposer d'eux-mêmes[2] pouvait également s'appliquer, et ce d'autant plus que « le Timor oriental n'est pas indonésien *de jure*... Le droit international dispose d'instruments utiles même s'ils sont dispersés, mal connus et embryonnaires. Mais les nations qui les ont construits se sont acharnées ensuite à les occulter pour servir des intérêts stratégiques ou commerciaux. Ainsi, les hésitations du Conseil de sécurité et des États pendant des journées décisives, à la recherche d'un consentement de l'Indonésie, sont-elles condamnables car il n'y avait pas là d'obstacle juridique. Prévenir et agir était donc possible. Mais punir aussi. L'article 146 de la IVe Convention de Genève sur la protection des personnes civiles en temps de guerre permet de déférer les coupables devant les tribunaux de tous les États parti de la Convention. (Il faut exiger) l'application rigou-

---

1. Monique Chemillier-Gendreau, « Les ressources méconnues du droit international », *Le Monde diplomatique*, octobre 1999.
2. La résolution 2625 de l'Assemblée générale des Nations unies (1970) stipule que « dans l'exercice de leur droits à disposer d'eux-mêmes, les peuples sont en droit de chercher et de recevoir un appui conforme aux buts et principes de la Charte ».

reuse du droit »[1] et ne pas hésiter à confronter les textes, les faits et les discours politiques afin de mettre en jeu la responsabilité de leurs auteurs.

Appliquant cette perpétuelle vigilance, certains organes de presse évitent de se laisser duper par l'autosatisfaction affichée des États. Tel est, par exemple, le cas du journal espagnol *El Païs* qui attire l'attention sur le fait que, malgré les discours flatteurs que la France entretient sur elle-même, « 4 600 plaintes ont été déposées contre la France auprès de la Cour européenne des droits de l'homme à Strasbourg depuis sa création (en 1950), dont 569 ont été déclarées recevables »[2] et le journal *The Economist* répond au même contentement américain en écrivant : « Il aura fallu 40 ans pour que les États-Unis ratifient la Convention sur le génocide et 26 ans pour ratifier le Pacte relatif aux droits civils et politiques... Seuls deux pays n'ont pas ratifié la convention relative aux droits de l'enfant – l'autre est la Somalie. Et, parmi ses alliés, il est le seul pays à s'opposer au tribunal international permanent approuvé par 120 États de l'Onu. »[3]

Enfin, Amnesty International relève que la situation réservée aux demandeurs d'asile dans les pays démocratiques viole souvent leurs droits fondamentaux. « Les flux de réfugiés et l'immigration ne sont pas des phénomènes nouveaux : ils sont de tous les temps et ils ont façonné notre continent et notre monde. Cependant, au cours de ces dernières années, ce phénomène a pris des dimensions nouvelles, les foyers de conflits, surtout internes, sont de plus en plus nombreux [...] (d'autre part, nombreux aussi sont ceux) qui fuient parce qu'ils ont perdu toute confiance dans la gestion de l'État [...] alors l'incertitude et l'insécurité les incitent à partir. Personne ne devient réfugié volontairement... Ils ont fui ou ont été chassés... Ils ont tous été forcés.

---

1. Monique Chemillier-Gendreau, « Les ressources méconnues du droit international », *op. cit.*

2. *El Païs, Courrier international, op. cit.*

3. *The Economist, Courrier international, op. cit.*

Par la famine, la guerre, la répression politique. Parce que leur droit fondamental de vivre, de survivre, est gravement menacé. (Pourtant) leur situation de réfugiés les rend pratiquement coupables aux yeux de l'opinion publique. Ils sont considérés et traités comme des criminels [...] On les regroupe dans des camps et lors des déplacements, les forces de l'ordre leur mettent des menottes. (Alors que) le seul moyen de décourager des hommes et des femmes d'abandonner leur foyer, c'est de promouvoir dans ces régions un cadre de vie décent en accord avec la Déclaration universelle des droits de l'homme »[1], finalement, « dans le monde entier, des États continuent de se soustraire aux obligations qui leur incombent en vertu du droit international relatif aux réfugiés [...] En 1998, détentions arbitraires, mauvais traitements, rapatriements forcés se sont multipliés [...] (y compris) vers des pays où les conflits armés sont loin d'avoir perdu de leur intensité »[2].

Lors d'un discours tenu à la Commission des droits de l'homme des Nations unies en 1998, le ministre belge Erik Derycke dénonce lui aussi cette inadéquation des paroles et des actes : « Les droits de l'homme ont été traduits en principes puis en engagements pour enfin aboutir à un vaste ensemble de pactes, de conventions et de déclarations. Ce processus normatif et les mécanismes de contrôle qui l'accompagnent ont fait progresser remarquablement la cause des droits de l'homme. Toutefois, force est de constater qu'il faudrait passer à une vitesse supérieure pour réduire l'écart entre la proclamation des normes et leur mise en œuvre. Un décalage entre ce qu'on promet et ce qu'on fait est, plus que nulle part ailleurs, inacceptable en matière de droits de l'homme. L'on ne doit pas entrer dans le jeu de ceux qui utilisent les droits de l'homme comme une arme diplomatique, oubliant ainsi toute objectivité, choisissant ce

---

1. Amnesty International, *Les Droits humains, une arme pour la paix, op. cit.*
2. Amnesty International, cité par MLC, « Haro sur la peine de mort », *Libération*, 17/06/1999.

qu'on aime, refusant ce qui gêne. D'autre part, je considère que la promotion des droits de l'homme passe tout autant par l'élaboration de normes qu'elle ne passe par le souci de leur mise en œuvre. Il faut développer notre sens de l'action et faire davantage pour prévenir effectivement les violations des droits de l'homme... Ceci ne devrait pas mettre en cause notre engagement de faire du respect des droits de l'homme une priorité et un des critères d'évaluation de notre politique étrangère. »[1]

Afin d'endiguer les dérives du discours humanitaire, les représentants légitimes des États, donc leur gouvernement, devraient être considérés comme engagés par leurs discours sur un sujet aussi fondamental que les droits de l'homme. « Pris au mot », leurs discours acquièrent une dimension factuelle.

Lorsque, par exemple, le président français Jacques Chirac déclare à propos de la capitulation de Slobodan Milosevic, « c'est un moment historique où le droit et la morale ont vaincu la barbarie. Allié à la création d'une cour pénale internationale, cela marque l'hégémonie d'une prise de conscience universelle où les droits de l'homme apparaissent fondamentaux, indiscutables »[2], ou lorsqu'il affirme que la France est la « terre des droits de l'homme », il engage, en vertu de la fonction qui lui a été légitimement attribuée, la politique de son pays, au même titre que le ministre Eric Derycke atteste de la volonté de la Belgique d'établir sa politique étrangère en prenant en considération la lutte pour un plus grand respect effectif des droits de l'homme. Si des contradictions flagrantes apparaissaient entre ces volontés affichées et la politique pratiquée, il appartiendrait aux journalistes mais aussi aux associations humanitaires de les dénoncer.

Les ONG humanitaires, alliées à des États dans des

---

1. Erik Derycke, ministre belge des Affaires étrangères, discours prononcé le 18/03/1998, 54ᵉ session de la Commission des droits de l'homme.
2. Jacques Chirac, journal télévisé, France 2, 10/06/99.

actions déterminées, doivent donc simultanément préserver leur capacité à s'en démarquer.

Toutefois, si dénoncer les dérives du discours politique dans les pays démocratiques est indispensable, c'est également dangereux. Indispensable car la crédibilité du combat des droits de la personne est liée à son universalité, dangereux car cette dénonciation risque de mener à une confusion, laissant croire que tous les gouvernements, quels qu'ils soient, sont pareillement « coupables », ce qui est évidemment faux.

Il ne faut pas perdre de vue qu'il est plus facile d'enquêter, de collecter les preuves d'atteintes aux droits de l'homme dans les pays démocratiques que dans les dictatures, et qu'il est également plus aisé de les y diffuser ou d'en assurer le relais par la presse. Lorsque, par exemple, Amnesty International mène des campagnes de dénonciation contre la peine de mort, elle reconnaît disposer à chaque fois d'une très large couverture de la part des médias aux États-Unis, ce qui n'est pas le cas lorsqu'elle la condamne en Afghanistan ou en Chine. Non seulement le nombre de critiques entendues n'est pas systématiquement proportionnel au nombre de violations des droits de l'homme, mais inversement le simple fait d'amener une population à connaître les circonstances des violations dont ses dirigeants se rendent coupables, la seule présence d'une véritable critique du gouvernement au sein du pays peuvent être analysés comme des signes incontestables de démocratie.

Par contre, il faut catégoriquement refuser toute banalisation visant à amalgamer les violations des droits humains quelles qu'elles soient et quels qu'en soient les auteurs.

L'argument soutenu par la Chine, dont le président Jiang Zemin déclarait en 1998 : « Il n'existe pas de pays parfait sur le plan des droits de l'homme »[1], tâchant par ce biais de

1. Jiang Zemin, cité par Hu Ping dans le journal *Beijing Zhi Chun*, *Courrier international*, n° 423, *op. cit.*

justifier ses violations par celles des autres gouvernements ailleurs dans le monde, doit être dénoncé.

Certes il n'existe pas de pays parfait, mais il existe des États qui aspirent à l'être, et d'autres qui s'y refusent résolument ; des pays où les violations sont dénoncées, d'autres où les témoins sont « portés disparus » ; des pays où la presse est libre, d'autres où le délit d'opinion et le délit de pensées sont d'efficaces censeurs ; des pays où des organismes de surveillance se créent, d'autres ou la seule éducation des populations à l'existence de leurs droits entraîne la peine de mort.

Dès lors, il importe de clairement distinguer et le degré de responsabilité, et l'importance des violations des droits fondamentaux à travers le monde pour donner aux dénonciations la mesure qui leur convient. Si chacun joue son rôle, la volonté politique sera de plus en plus confrontée à la mise en cause publique de ses actes, à la mise au ban de nombre de nations et à la responsabilité juridique de ses dirigeants lorsqu'elle prendra le risque de s'effectuer en contradiction ou au mépris de ses engagements en termes de droits de l'homme.

Les droits de l'homme et la technologie du nouveau millénaire

Sans pouvoir avoir pleinement connaissance des futures inventions informatiques et médicales qui révolutionneront certainement le monde industrialisé du XXIᵉ siècle, il est possible de présager une évolution menaçant la sauvegarde des libertés fondamentales. Déjà diverses technologies induisent d'importantes modifications dans les relations entre l'individu et l'État.

L'ampleur de la communication par Internet peut, dans la mesure où elle arrive à forcer les portes des États qui en refusent l'accès, servir d'outil de formation des populations à l'existence des droits de la personne et aux moyens de les faire valoir.

Le réseau peut également servir à informer le monde extérieur des répressions intérieures, à dénoncer ou à appeler à l'aide. En outre, il peut, dans une certaine mesure, court-circuiter le monopole des médias dans la sélection des sujets, mettant à la portée de tout utilisateur la possibilité d'informer le monde d'un événement précis. S'il rencontre un écho positif auprès des lecteurs, il peut, par son renvoi incessant vers d'autres personnes ou d'autres sites, devenir suffisamment important pour que la presse soit forcée de s'en emparer et de le relayer. Les organismes de défense des droits de l'homme peuvent donc, grâce au réseau Internet, faire reculer l'ombre en assurant régulièrement l'internationalisation de l'information.

Cependant, la technologie sert d'abord ceux qui ont les moyens de l'acheter et la tentation est forte pour les États, y compris dans les pays démocratiques, de l'utiliser pour surveiller sa population. Il y a quelques années encore, les dirigeants devaient filmer discrètement les manifestations dans lesquelles ils voulaient repérer ou ficher les « meneurs ». Aujourd'hui, en dehors de toute manifestation, les caméras sont installées dans les transports en commun, les entrées de magasins, les hôpitaux, les parkings, presque tous les lieux publics et de plus en plus régulièrement sur les trottoirs des grandes villes ou sur les ponts des autoroutes. La sécurité est le grand motif invoqué pour justifier la vidéo-surveillance permanente. L'anonymat disparaît, les numéros apparaissent, et personne ou presque ne semble s'en émouvoir.

En 1998, Alain Weber, au nom de la Ligue des droits de l'homme, dénonçait déjà cette dangereuse évolution : « En utilisant les technologies nouvelles dans un but sécuritaire, le législateur de 1991 a gravement et durablement porté atteinte aux libertés [...] De quoi s'agit-il exactement ? Tout simplement de l'abandon, par le législateur de 1991, du droit du citoyen à rester anonyme et à ne pas être surveillé dans ses déplacements. Cette liberté, bradée au bénéfice de la satisfaction d'une politique sécuritaire, est aujourd'hui perdue tant pour la génération actuelle que pour les générations futures [...] En matière de technologie nouvelle, tout abandon d'une parcelle de liberté est définitif [...] Georges Orwell s'est trompé, non pas sur les risques d'intrusion de l'informatique dans la vie quotidienne [...] mais bien plutôt dans la capacité des citoyens à s'en émouvoir. Les acteurs de son roman, *1984*, sont éminemment conscients de l'oppression et du viol permanent qu'ils subissent du fait de l'informatique, alors que les citoyens de l'an 2000 sont totalement inconscients des dangers et enjeux liés à l'informatisation rampante de la société. Pire, ils participent, par leur silence, au lent naufrage de leurs libertés [...] On ne peut faire confiance aux gouvernements – quels qu'ils soient – concernant l'utilisation des nouvelles technologies. Toute l'histoire de l'utilisation des technologies nouvelles par les gouvernements – fussent-ils démocratiques – va dans le sens de leur exploitation pour surveiller toujours plus et toujours mieux. Le citoyen a un impérieux devoir de vigilance car il est dépositaire, pour les générations à venir, de la conservation et du développement des espaces de libertés. » [1] Pareillement alertée, l'ancienne vice-présidente de la Commission nationale de l'informatique et des libertés (Cnil), Louise Cadoux, déclarait lors d'un débat sur les droits de l'homme : « Nous sommes entrés dans la société de surveillance. » [2]

Non seulement les personnes au pouvoir peuvent exercer directement leur surveillance, mais elles peuvent également bénéficier de quelques informations collectées au gré de l'autosurveillance des individus entre eux. Nombreux sont les programmes qui permettent de contrôler ce que les internautes regardent, consultent ou écrivent [3]. Facilement acces-

---

1. Alain Weber, président de la Commission informatique et liberté : « Souriez, vous êtes traqués », dans *Hommes et Libertés*, *op. cit.*

2. Louise Cadoux, citée par Florent Latrive, « L'obscur empire des caméras indiscrètes », *Libération*, 8/12/1998.

3. Il existe, par exemple, des programmes inventés pour contrôler l'accès au réseau par les enfants. Ainsi, le logiciel Prudence permet d'enregistrer l'ensemble de leurs activités sur Internet et d'alerter l'ordinateur parental à son bureau. Il n'est évidemment pas difficile de le détourner de son objectif initial.

sibles sont les *webcams*[1], petites caméras reliées au réseau, qui permettent de diffuser la vie des autres, même intime, sans qu'ils en soient conscients. « En mai 1997, des plaisantins avaient pointé un objectif sur la porte d'entrée d'un bordel norvégien. (Ailleurs, quelque part au Danemark) une caméra cachée dans le plafond de toilettes publiques exhibe les individus à leur insu »[2]. Enfin, « la société américaine Space Imaging commercialisera sur Internet dès le début 2000 les photos prises par le satellite Ikonos, sur lesquelles peuvent être distingués des objets au sol avec une précision d'un mètre... Ainsi, des clichés de n'importe quelle maison, rue, véhicule, installation, champ, dans n'importe quel endroit sur terre, excepté les pôles, deviennent accessibles à tout un chacun, il suffit de passer commande »[3].

Les e-mails sont autant de lettres auxquelles il est bien souvent interdit d'ajouter une enveloppe, le recours à la cryptographie étant considéré comme hautement suspect[4]. Le site garde tout en mémoire : le droit à l'oubli, à la prescription disparaît. La publicité est en permanence assurée. « Au Texas, pour 3,15 dollars et en deux minutes, il est possible d'obtenir le casier judiciaire de toute personne sur le site Web du département de la sécurité publique. »[5]

Les *cookies* insérés dans les disques durs sont d'efficaces espions. Certes, ils permettent aux serveurs de proposer à leurs clients des services mieux adaptés à leurs besoins, mais en synthétisant la catégorie et la fréquence des documents consultés par l'internaute, le montant et le genre de dépenses

---

1. Aussi appelées Netcam ou Livecam. Certains ordinateurs PC sont déjà vendus avec une caméra incorporée – notamment aux États-Unis et au Japon. Les logiciels de vidéophonie, intégrant le son, devraient rapidement s'étendre dans les prochaines années (*cf.* Stéphane Arteta, « Allez vous faire voir dans le cybermonde », *Le Nouvel Observateur*, 9-15/09/1999).

2. Florent Latrive, « L'obscur empire des caméras indiscrètes », *op. cit.*

3. *Sciences et Avenir*, « Tous des espions », janvier 2000.

4. Ainsi, l'inventeur américain d'un programme de cryptage, mis à disposition de tous sur Internet, fut pour ce fait poursuivi en justice.

5. Florent Latrive, *op. cit.*

effectuées sur les sites de vente, le type d'idées véhiculées par les forums de débats régulièrement « visités », ils permettent également de dresser un impressionnant profil psychologique au bénéfice de celui qui voudrait s'en servir.

Les adeptes de la surveillance par la délation, telle qu'elle fut utilisée par le régime fasciste de la Seconde Guerre mondiale ou par les régimes communistes en Asie, n'ont plus besoin de manipuler les enfants ou de terroriser les voisins. Le gouvernement qui, actuellement, voudrait assurer la surveillance de la vie privée et des idées développées par ses citoyens dispose déjà d'un outil redoutablement efficace et à partir duquel chacun s'équipe volontairement.

Au réseau Internet, à la vidéo-surveillance, s'ajoutent les données enregistrées grâce aux puces électroniques, devenues omniprésentes. Informations bancaires, dépenses courantes, déplacements et destinations, dossiers médicaux... tout est tracé, enregistré. Bientôt les clefs, les codes seront remplacés par l'identification de l'individu. Déjà des entreprises utilisent des puces, pouvant être greffées sur l'homme, afin de permettre à son environnement de l'identifier et de réagir en conséquence : déverrouillage des portes, éclairage des pièces, mise en route de l'ordinateur... Ces inventions pourraient certes participer à l'amélioration de la condition humaine en transformant, notamment, la vie des personnes souffrant d'importants handicaps physiques. Cependant, le danger est également manifeste : plus besoin de filature pour connaître les déplacements des dissidents, plus besoin de pointeuse pour vérifier le travail fourni par les employés, plus besoin de détective pour être informé de la vie extra-conjugale du conjoint [1].

---

1. Toujours plus loin, dans son numéro de janvier 2000, le magazine *Sciences et Avenir* projette, dans une fiction qui pourrait devenir réalité, la greffe d'électrodes dans la zone visuelle cérébrale de l'individu. Ceux-ci enregistreraient les influx nerveux transmis par les yeux au cerveau et les renverraient ensuite vers un ordinateur central. Cette technologie pourrait, par exemple, être utilisée par la police sur les détenus en liberté conditionnelle, ou par un gouvernement dic-

Le domaine médico-légal bénéficie, lui aussi, de cette évolution. La France s'est lancée dans la constitution d'un fichier génétique dans lequel seront obligatoirement enregistrés les délinquants sexuels condamnés de façon définitive. Il ne sera accessible qu'aux seuls magistrats dans le cadre d'une enquête et sera certainement très utile pour appréhender plus rapidement les criminels en série ou pour innocenter des suspects. Cependant, cette nouvelle technologie n'est pas elle non plus sans risque, comme en témoigne sa mise en application déjà très avancée aux États-Unis. Depuis 1989, la loi de Virginie impose, de manière rétroactive, à toute personne condamnée à une peine de prison de se soumettre à son fichage génétique. Les mineurs sont également soumis à cette obligation. D'ici 2001, la totalité des condamnés devraient avoir été fichés. Un avocat de Boston, M⁰ Keehn, dénonce cette pratique, qui « marque à jamais une catégorie d'individus – les condamnés – au fer rouge, et les prive des protections de la Constitution en les classant comme une menace pour la société. » En outre, avertit-il, « il ne faudra pas longtemps avant que les fiches génétiques ne tombent entre les mains de personnes autres que la police »[1].

Sur ce modèle, le Bureau d'investigation fédéral (FBI) développe un réseau à l'échelle de tout le pays. « Le FBI n'est pas le seul à avoir créé un fichier génétique national. Le Pentagone exige de tous les militaires et de ses employés civils qu'ils passent un test génétique, et a accumulé plus de trois millions de fiches. Certains États, comme la Californie, font de même pour tous les nouveau-nés. »[2]

En très peu de temps, l'enregistrement obligatoire des données figurant dans l'ADN des individus, d'abord admis

---

tatorial sur tout intellectuel opposé au pouvoir en place (*cf.* « 2039, le Big Brother », janvier 2000).

1. M⁰ Keehn, cité par Patrick Sabatier, « La manie du fichage génétique », *Libération*, 9/12/1998.

2. Patrick Sabatier, « La manie du fichage génétique », *op. cit.*

pour les seuls condamnés afin de faciliter l'appréhension des criminels en série, a été élargi et admis pour toute personne dès sa naissance. Face aux risques de dérives que comportent de telles avancée technologiques, le président Bill Clinton a créé une Commission nationale chargée d'analyser et d'envisager l'avenir du fichier génétique. Le professeur Ferrara, membre de cette Commission, reconnaît que si on ne le peut pas encore, à terme, « on pourra probablement identifier les individus porteurs d'un gène prédisposant à la violence, ou à l'agression sexuelle, et intervenir préventivement » [1].

Outre l'incommensurable danger que représente l'abandon d'un tel pouvoir à une autorité quelle qu'elle soit, la crainte d'une utilisation des données d'un tel fichier par des organismes privés est également évidente. Ainsi, notamment, les compagnies d'assurance ou les employeurs pourraient trouver de grands intérêts à connaître les prédispositions médicales des futurs assurés ou employés. « Le président Bill Clinton s'est lui-même inquiété de l'abus de tests génétiques pour pratiquer de nouvelles formes de discrimination dans laquelle une idéologie du "génisme" classerait la population entre une élite aux gènes "sains" et un "prolétariat génétique" voué à l'exclusion permanente de la société. » [2]

Le contrôle de ce que font les individus, de ce qu'ils sont génétiquement, de ce qu'ils aiment, disent ou pensent est techniquement possible. Si un État dictatorial s'offre ces nouvelles technologies, le combat pour la sauvegarde des droits de l'homme s'y arrêtera. Les libertés fondamentales y seront définitivement abolies.

Les ONG humanitaires peuvent s'intégrer dans cette évolution en assurant, entre autres, un lobbying permanent visant à forcer les législations nationales et internationales à

---

1. Professeur Ferrara, cité par Patrick Sabatier, *op. cit.*
2. Patrick Sabatier, *op. cit.*

codifier l'utilisation de ces technologies dans le but de préserver les libertés fondamentales de l'individu. Si « les juristes sont toujours en retard d'un train », il semble urgent de les alerter que, depuis l'invention du TGV (train à grande vitesse), il est devenu beaucoup plus difficile de le rattraper.

Protection du personnel humanitaire

> « *Risquer sa vie pour des gens "que l'on n'aime pas",*
> *pour prouver quoi ...*
> *Pour une idée idéale de l'homme.* »
>
> Bernard KOUCHNER
> *Dieu et les Hommes*

L'intervention militaire des États, non comme participant cette fois au conflit mais comme garant de la bonne exécution de missions humanitaires n'est pas, elle non plus, sans danger. D'une part, cette intervention permet d'établir des couloirs pour l'acheminement de l'aide, l'évacuation des civils en danger ou encore de veiller à la bonne application des accords de paix survenus entre belligérants et mettant en cause des populations civiles. D'autre part, ce mélange militaire et humanitaire crée une opportune confusion aux yeux de ceux qui refusent la paix ou la neutralité des corridors humanitaires.

Pour ces derniers, la présence de militaires est la justification de leurs actions belligérantes à l'encontre de convois de réfugiés ou d'ambulances. « En Somalie, la protection des secours par les militaires a multiplié par cinq le nombre de réfugiés tués... Quand il y a des GI sur un convoi humanitaire, ce convoi devient un objectif militaire, politique et symbolique. »[1]

---

1. Rony Brauman, « Les militaires ne peuvent pas garder les camps », *Libération*, 6/05/1999.

Alors que des responsables d'ONG humanitaires, présentes au Kosovo en 1999 lors de l'installation des camps de réfugiés, reconnaissent que « sans le travail intense des militaires de l'Otan rien n'aurait pu être fait »[1], Rony Brauman dénonce la confusion que cette participation provoque : « L'humanitaire est presque devenu un gadget aux contours de plus en plus flous... Dans un contresens flagrant, on en vient à parler de frappes, de bataillons et de catastrophes humanitaires [...] les bombardements, les secours et l'accueil sont englobés dans un même sac [...] transformer les camps en cibles est le grand danger [...]. La militarisation met en danger la vie des réfugiés et la notion juridique de réfugiés qui doivent absolument être protégés des interférences politiques [...]. Que les militaires gardent les frontières pour empêcher la pénétration serbe, mais ils ne peuvent garder les camps [...]. Il est capital que le HCR prenne une position très solide. »[2]

Assimilés aux militaires ou considérés comme leurs « complices », de plus en plus souvent des humanitaires sont pris en otage ou exécutés. Pourtant, comme le souligne Bernard Kouchner, « il n'y a pas la guerre d'un côté et l'humanitaire de l'autre. Ces effrayants déplacements de population (au Kosovo) sont un des éléments de la guerre, arrêtons de cloisonner les indignations »[3].

Même hors ces exemples de « confusion » militaro-humanitaires, la situation des volontaires des droits de l'homme se révèle de plus en plus précaire. Les humanitaires, qui cherchent à promouvoir les droits et les libertés fondamentales, ont toujours massivement été victimes de politiques de terreur poursuivies à leur encontre par les gouvernements en place. De la perte de leur emploi à leur mise sous surveil-

---

1. « Les réfugiés dévalisés par la mafia et ballottés dans des camps surpeuplés » MLC, *Libération*, 6/05/1999.
2. Rony Brauman, « Les militaires ne peuvent pas garder les camps », *op. cit.*
3. Bernard Kouchner, « Il sera de moins en moins possible d'opprimer à l'abri des frontières », *op. cit.*

lance permanente jusqu'à leur emprisonnement, torture ou assassinat, la liste est longue et sophistiquée pour forcer leurs associations à abandonner leur travail de protection et d'éducation des populations aux droits fondamentaux.

Cependant, depuis la fin de la Guerre froide, les conditions d'insécurité dans lesquelles travaillent les humanitaires se sont aggravées. Les conflits sont devenus plus anarchiques. Les soutiens militaires et financiers fournis par certaines puissances étrangères, et sur lesquels autrefois un gouvernement menacé ou une guérilla d'opposition pouvait compter en vertu de l'enjeu que sa « position » présentait dans la Guerre froide, se sont majoritairement amoindris. C'est auprès de la population civile que désormais les combattants cherchent les moyens de leur subsistance, n'hésitant pas à commettre les plus abjects actes de violence, allant jusqu'à torturer et mutiler des bébés et de jeunes enfants, comme l'illustre le Sierra Leone en 1999.

Dans ce nouveau contexte, même les humanitaires « médicaux » deviennent soit d'indésirables témoins, dont il faut se débarrasser, soit de nouvelles « sources de profit » dans lesquelles puiser pour trouver les finances nécessaires au combat.

Au Sierra Leone, « tantôt pillés par les rebelles, tantôt réquisitionnés par les forces gouvernementales, les stocks d'aide alimentaire sont l'objet de toutes les convoitises [...] Ainsi, sur les six premiers mois de 1999, pas un sac de nourriture n'est parvenu dans les zones contrôlées par la rébellion [...] (Or), plus d'un million de personnes vivent dans les zones tenues par la rébellion [...] Les habitants du nord du Sierra Leone ont été abandonnés à leur sort : pour nombre d'entre eux, c'est une mort annoncée, dans le silence de l'indifférence » [1].

En Somalie, en 1991, avant l'arrivée des troupes de l'Onu, les membres des associations humanitaires présentes étaient

---

1. ACF, interventions, décembre 1999, *op. cit.*

couramment victimes d'attaques, à tel point que certains d'entre eux finirent par engager des milices privées pour les protéger. Le salaire perçu par ces milices profita directement à l'un des « seigneurs de la guerre » qui y trouva les moyens d'alimenter son économie de guerre... Quelques années plus tard, en 1999, « devenu enjeu économique et objet de convoitise et du fait de l'insécurité qui règne dans le pays, le nombre des intervenants humanitaires s'est considérablement réduit, et ce malgré l'ampleur des besoins : mortalité infantile particulièrement élevée, mortalité maternelle l'une des plus fortes au monde, plus d'un million de personnes à ce jour menacées par la famine dans le sud du pays, en raison de la sécheresse et de la persistance de la guerre ». Pourtant, il importe que « les intervenants humanitaires soient sur place pour tenter de prévenir les crises avant qu'elles ne dégénèrent en famines »[1].

De 1992 à 1998, l'Onu a révélé l'assassinat, au cours de missions humanitaires, de près de 140 de ses fonctionnaires et employés civils. Le CICR déplore l'assassinat d'infirmières présentes au Rwanda et en Tchétchénie ainsi que l'enlèvement de certaines de leurs collègues en Somalie. L'OMCT, la FIDH, Amnesty International dénoncent la répression dont sont couramment victimes leurs représentants enlevés, emprisonnés, torturés ou exécutés. MsF et MDM aussi comptent de nombreuses victimes.

« Dans sa phase idéologique (affrontement Est-Ouest), les conflits avaient pour but de contrôler des territoires et des populations. L'aide humanitaire était un instrument utile pour y arriver et pour accéder à une reconnaissance au niveau international. Dans sa phase ethniciste (post-chute du mur de Berlin), les belligérants ont pour objectif de contrôler l'espace pour en chasser les populations autres. Les humanitaires deviennent alors des témoins gênants que l'on cherche à écarter par tous les moyens... Cette nouvelle

---

1. ACF, interventions, décembre 1999, *op. cit.*

attitude explique les différentes attaques dont sont délibérément l'objet les personnels des agences humanitaires durant ces dernières années »[1], constate Guillaume d'Andlau, ancien délégué aux opérations internationales de la Croix-Rouge française.

« Toujours plus de défenseurs des droits de l'homme sont victimes d'exactions en raison même de leur action en faveur des droits et libertés d'autrui. Malgré l'importance de leur action et la reconnaissance officielle qui leur est accordée, ils sont la cible privilégiée des régimes répressifs. »[2]

Des membres d'ONG humanitaires « disparaissent » ou sont torturés pour avoir travaillé au sein d'une organisation qui œuvre à la promotion des droits de l'homme, des avocats sont emprisonnés ou assassinés pour oser assurer la défense de responsables d'ONG humanitaires, eux-mêmes « prisonniers d'opinions ». « Dans ce contexte, l'OMCT et la FIDH développent de concert un programme visant à intervenir aussi efficacement que possible en faveur des femmes et des hommes qui prennent des risques particuliers dans la défense des droits de l'homme. »[3]

« Il faut briser l'isolement dans lequel est plongé trop souvent un défenseur des droits de l'homme, il faut développer la solidarité internationale à ce sujet et, pour ce faire, utiliser tous les moyens légaux à notre disposition », analyse Yavuz Onen, président de la Fondation des droits de l'homme en Turquie, arrêté en 1972 et torturé durant 27 mois[4]. Son ami, Akin Birdal, président de l'association turque des droits de l'homme (IHD) et vice-président de la FIDH, a échappé le 12 mai 1998 à une tentative d'assassinat. Six balles l'avaient atteint à bout portant. Il n'a pas obtenu de visa pour participer aux manifestations du cinquantième anni-

1. Guillaume d'Andlau, *L'Action humanitaire*, *op. cit.*
2. OMCT, Rapport annuel 1997.
3. OMCT, Éric Sottas, directeur, présentation rapport d'activités 1997.
4. Olivier van Vaerenbergh, « Les droits de l'homme dans tous leurs États généraux », *Le Soir*, 8/12/1998.

versaire de la Déclaration universelle des droits de l'homme [1]...

« Dans le monde entier, les défenseurs des droits humains sont sans protection. Leur survie dépend de leur courage et de leur détermination. Un défi important est à relever dans les années qui viennent. Il faut que les États établissent un texte international qui reconnaît et renforce l'action des défenseurs des droits humains. Les droits fondamentaux ne pourront être défendus si les militants ne peuvent exercer les droits nécessaires à cet effet. Il s'agit entre autres du droit de défendre les droits d'autrui, du droit de créer une organisation de défense des droits humains, du droit de communiquer avec des ONG nationales ou internationales, du droit de participer à des actions pacifiques en vue de promouvoir le respect des droits humains, du droit de défendre les droits humains dans toute leur dimension indépendamment de l'idéologie de l'État. » [2]

Le 3 avril 1998, après des années de persévérance et malgré la volonté de certains États de saboter son travail, la Commission des droits de l'homme de l'Onu a adopté une résolution (1998/7 [3]) sur « le droit et la responsabilité des individus, groupes et organes de la société de promouvoir et protéger la reconnaissance universelle des droits de l'homme et des libertés fondamentales ». Cette résolution réaffirme l'importance du respect des principes de la Charte des Nations unies et de la protection des droits de l'homme et des libertés fondamentales pour tous les individus dans tous les pays du monde, sans aucune distinction quelle qu'elle soit y compris les distinctions de nature raciale ou de couleur, sexistes, linguistiques, religieuses, politiques ou de quelques autres opinions, d'origines sociales ou nationales, de propriétés, de naissance ou de tout autre statut. Elle rappelle l'existence d'une étroite relation entre la paix, la

---

1. Éric Biegala, « Akin Birdal, la bête noire de l'État turc », *Le Soir*, 8/12/1998.
2. Amnesty International, *Les droits humains, une arme pour la paix*, *op. cit.*
3. Résolution 1998/7, traduction libre.

sécurité internationale et le respect effectif de ces droits universels, indivisibles, interdépendants et corrélatifs. Elle réaffirme la responsabilité prioritaire qui incombe à l'État de veiller à la promotion et à la réalisation des droits de l'homme et des libertés fondamentales.

Ces quelques rappels faits, la Résolution 1998/7 affirme que chaque individu a le droit, individuellement ou en association, de promouvoir la réalisation des droits de l'homme à un niveau national et international (article 1). Ce droit comprend celui de communiquer avec des organisations non gouvernementales ou internationales (article 5), d'obtenir, recevoir, conserver, étudier, publier et faire connaître toutes informations concernant les droits humains (article 6).

L'État a le devoir de prendre toutes mesures utiles pour protéger quiconque, sans recours à la violence, s'occupe de la protection et de la promotion des droits de l'homme (article 12), chacun disposant du droit d'être protégé dans l'accomplissement de ces droits et pouvant, en cas de violation de ceux-ci, avoir recours à un tribunal indépendant et impartial pour en demander réparation, y compris si ces violations sont le fait de la police ou d'autres organes étatiques. L'État a alors le devoir de mener rapidement des enquêtes, de manière impartiale, ainsi qu'il en a le devoir à chaque fois qu'il y a des motifs raisonnables de croire qu'une violation des droits de l'homme et des libertés fondamentales a eu lieu sur son territoire. Chacun a le droit d'assister à des auditions publiques ou à des procès, afin de se faire une opinion sur le respect ou non des lois internes et des obligations internationales qui s'y opère. Chacun a également le droit d'offrir une assistance légale professionnelle ou tout autre avis et assistance dans la défense des droits de l'homme et des libertés fondamentales (article 9).

L'État a la responsabilité de diffuser, de manière à ce qu'elle soit accessible à toutes les personnes vivant sur son territoire, la connaissance des droits de l'homme, y compris celle des droits civils, politiques, économiques, sociaux et culturels (article 14), et a, en particulier, le devoir d'en assurer la connaissance par le personnel de justice, par celui des forces armées et par les agents de l'État (article 15).

Les individus, groupes, institutions et ONG ont un rôle important à jouer dans la diffusion des valeurs contenues dans toutes les questions relatives aux droits humains et aux libertés fondamentales, ainsi que dans la sauvegarde ou le développement des sociétés et institutions démocratiques (articles 16 et 18). Dans le cadre de ces activités, nul ne peut être limité au-delà de ce que la loi prévoit pour le maintien de l'ordre public ou pour la sauvegarde de la moralité et du bien-être général tels qu'ils sont habituellement conçus par les sociétés démocratiques (article 17).

Enfin, personne ne peut être puni pour avoir refusé de participer, par une action ou une inaction, à la violation de droits humains (article 10).

Après avoir à son tour approuvé cette déclaration, en juillet 1998, le Conseil économique et social recommande qu'après son approbation par l'Assemblée générale le texte soit diffusé de la manière la plus large possible (1998/33). Ce texte a été approuvé par l'Assemblée générale le 9 décembre 1998 (A/RES/53/144), la veille du cinquantième anniversaire de la Déclaration universelle.

Cette résolution rend illégale et universellement condamnable, quels que soient les motifs invoqués, toute menace, persécution ou emprisonnement des défenseurs des droits humains. En outre, elle autorise et recommande la divulgation des violations des droits de l'homme quel que soit le pays où elles ont été commises et quels qu'en soient les auteurs. L'accusation d'atteinte à la sûreté de l'État ou tout autre motif invoqué dans le seul but de museler les défenseurs des droits de la personne, s'inscrit en totale opposition à cette Résolution.

« Il est intolérable que les États se considèrent comme propriétaires des souffrances qu'ils administrent ou qu'ils génèrent. Nous sommes respectueux des souverainetés et des compétences judiciaires de chaque État, d'autant plus qu'elles assurent le bonheur de leur peuple. Nous exigeons

seulement qu'elles s'exercent de manière plus humanitaire
et donc plus humaine. Un gouvernement qui n'a rien à
cacher ne saurait soustraire une victime au stéthoscope du
médecin ou un justiciable au conseil d'un avocat appelé. Nos
démarches reposent sur un principe de subsidiarité. C'est
seulement après un vain épuisement des sollicitations nationales que l'assistance externe doit être offerte. De grâce, faisons en sorte qu'elle ne soit plus jamais considérée comme
une intrusion illicite dans les affaires intérieures des États »,
déclarait Bernard Kouchner en 1992, à l'occasion de la création d'Avocats sans Frontières [1]. En avril 1998, la Résolution
de la Commission des droits de l'homme des Nations unies
lui donne raison et fournit à tous les défenseurs des droits
humains la certitude internationale de la légalité de leur
combat.

---

1. Bernard Kouchner, alors ministre français de l'Aide humanitaire, message
adressé à AsF lors de sa création.

V

L'action humanitaire à la barre

« Tout accusé jouira d'une liberté entière
d'user de ses moyens naturels de défense,
ce qui entraîne nécessairement la publicité de la procédure,
la liberté de se choisir des conseils,
de conférer avec eux dans tous les cours de l'instruction,
d'avoir communication, pour soi et pour ses conseils,
de tous les actes de la procédure,
et de pouvoir faire entendre des témoins...
La loi ne pourra autoriser,
pour parvenir à la connaissance des coupables,
ni l'emploi de la torture, ni l'usage du mensonge ou de la ruse...
Sous aucun prétexte, la durée de la détention
ne pourra être indéfiniment prolongée par le retard du jugement »
Déclaration des Droits, marquis DE CONDORCET,
1789 (articles 2, 4 et 5)

Les tribunaux en accusation

Le grand nombre de procès expéditifs qui accompagnè-
rent la Révolution française, et lui survécurent, attestent de
la négation massive de ces principes peu de temps après leur
énonciation. La protection juridique de l'individu contre les
dérives d'un État, telle qu'elle était conçue dans les pré-
ceptes du marquis de Condorcet, fut foulée aux pieds. Les
échafauds et les parodies de justice qui ensanglantèrent la
France portent le témoignage de l'importance comme de la
fragilité des droits de la défense.

Plus de deux siècles plus tard, malgré leur reconnaissance dans la Déclaration universelle des droits de l'homme, malgré la ratification de leur protection par les États à travers maints législations internes et pactes internationaux (dont le Pacte international relatif aux droits civils et politiques, qui date de 1966), les droits de la défense n'ont toujours pas acquis valeur d'évidence.

En témoignent les manifestations d'hostilité dont sont victimes les avocats qui acceptent de représenter les personnes suspectées d'actes particulièrement cruels, comme ce fut par exemple le cas, en Belgique, pour les conseils de Marc Dutroux[1] et de ses complices. En témoignent les graves menaces dont sont victimes les avocats de la défense dans le cadre des procès du génocide au Rwanda ainsi que celles qui pèsent sur leurs confrères assurant la défense des membres de groupes paramilitaires en Irlande du Nord. En témoignent les persécutions dont sont victimes les avocats prenant part aux procès des Kurdes poursuivis devant la cour de sûreté de l'État en Turquie. En témoignent les réglementations donnant autorisation aux seuls avocats israéliens de plaider devant les instances judiciaires israéliennes, et ne s'inquiétant pas de laisser de très nombreux prévenus palestiniens, poursuivis pour atteinte à la sûreté de l'État, sans réelle possibilité d'être assistés d'un avocat. En témoigne le très grand nombre de pays où ne peuvent être entendus à la barre que les avocats du barreau local ou national.

Volonté délibérée d'un gouvernement de réduire l'influence de l'avocat, afin de se débarrasser plus aisément de personnes « gênantes » ou afin d'éviter de voir sa responsabilité mise en cause, tentation d'utiliser la terreur pour imposer sa loi sans crainte de l'exercice de la justice, carence

---

1. Marc Dutroux, inculpé pour viol et assassinat d'enfants, a été rendu « célèbre » par la presse en raison des conditions particulièrement barbares et répétées des actes qui lui ont été reprochés. De grandes manifestations nationales, dont la Marche blanche, eurent lieu en Belgique en hommage aux enfants victimes de sévices sexuels, enlevés et assassinés.

éducative d'une population au fonctionnement de la démocratie, protectionnisme de la profession [...] Les raisons sont
multiples et de nombreux gouvernements profitent de ce
manque de reconnaissance et de soutien public pour atténuer, cantonner ou simplement supprimer la place de
l'avocat. « Face aux réalités quotidiennes de l'arbitraire : procédures unilatérales ou occultes, avocats muselés voire
inexistants, absence de procès, détentions irrégulières [...] Il
serait illusoire de vouloir dresser un inventaire exhaustif des
atteintes répétées aux droits de la défense », constatait ainsi
Adrien Wolters, ancien bâtonnier du barreau de Bruxelles
et, en 1992, le premier président d'Avocats sans Frontières.

Pourtant, il n'y a pas de démocratie, pas de paix sociale
possible sans l'existence de règles de droit. Il n'y a pas d'État
de droit sans une justice ayant le pouvoir de juger du respect
de ces règles, en toute impartialité, équité et indépendance.
Il ne peut y avoir de justice de cette sorte sans une instruction « à charge et à décharge », sans une enquête libre, sans
une défense libre.

Sans l'existence respectée des droits de la défense, il n'y
a pas d'accès à une telle justice. Sans accès à une telle justice,
il n'existe aucune possibilité pour l'homme de prétendre à
la protection de ses droits, y compris les plus fondamentaux.
Ainsi, le droit d'avoir ou de divulguer une opinion sans être
inquiété, le droit d'écrire ou de témoigner sans être exilé ou
emprisonné, le droit de se marier en ayant le libre choix du
conjoint, celui d'étudier, d'exercer un métier, de voyager ou
d'accéder aux soins sont protégés par le droit d'accéder à
une justice libre et équitable permettant de poursuivre les
États, institutions ou individus qui s'opposent à leur libre
exercice et de leur demander réparation. Les droits de la
défense participent à cette justice. Ils sont reconnus par
toutes les nations civilisées. Ils ne sont pas, pour autant, toujours mis en œuvre de manière efficiente.

« Toute personne a droit à un recours effectif, devant les juridictions nationales compétentes, contre les actes violant les droits fondamentaux qui lui sont reconnus par la constitution ou par la loi. » (article 8, Déclaration universelle des droits de l'homme)

L'impunité dont peuvent bénéficier certains dictateurs responsables d'actes de barbarie, l'impunité de groupes armés qui violent et tuent sous la protection d'autorités gouvernementales, l'impunité de groupes criminels ou terroristes, l'impunité est une violation du droit des victimes. Elle leur dénie leur droit d'accès à la justice.

En outre, l'impunité engendre peur, résignation et perte de confiance dans le fonctionnement de l'État. « Lorsque aucun coupable n'a été traduit en justice pour ses actes et qu'il ne semble pas non plus qu'ils aient fait l'objet d'une enquête convenable, (cela) ne fait qu'accentuer les craintes selon lesquelles les coupables auraient agi avec la complicité ou l'assentiment des autorités locales. »[1]

En 1959, au Rwanda, alors que la « révolution Hutu » s'attaque aux Tutsis, « à Bruxelles, dans les milieux du Mouvement ouvrier chrétien, on soutient très fermement et ouvertement la révolution hutu. Les étranges expressions qui se répètent ne choquent apparemment personne : on choisit les "courts" contre les "longs", ces derniers ayant été jetés à la rivière ou "raccourcis". Sur les collines du Rwanda, on ignore les figures de style : on coupe effectivement les jambes des Tutsis, on leur sectionne les tendons »[2]. Aucune enquête n'a fait suite à ces actes. À l'attente des victimes de voir leurs droits reconnus et les coupables poursuivis, la réponse imposée consista dans le devoir d'oubli et de pardon, niant de ce fait l'existence ou l'importance des mutilations subies.

Le 30 janvier 1972, une marche de manifestation contre

---

1. Amnesty International, « Amériques, droits bafoués des populations indigènes », *op. cit.*
2. Colette Braeckman, *Rwanda, histoire d'un génocide*, Fayard, 1994.

la Special Power Act[1] se déroula à Derry, l'un des principaux foyers de la résistance catholique en Irlande du Nord. Les soldats britanniques ouvrirent le feu sur la foule, tuant 14 manifestants. Le rapport sur le *Bloody Sunday*, établi quelques semaines plus tard par lord Widgery et innocentant l'armée, laisse raisonnablement craindre, aux yeux de nombreux analystes, qu'il y a eu une importante intrusion du politique dans la gestion du procès[2]. En février 1998, le gouvernement de Tony Blair ordonna une nouvelle enquête, accédant ainsi, après 26 années d'attente, à la demande formulée par les familles des victimes, celle d'une enquête indépendante et d'une justice indépendante.

Le Brésil, le Vénézuela, le Honduras, la Colombie, le Guatemala et le Pérou sont souvent désignés par Amnesty International pour leur coupable absence d'enquêtes ou de poursuites dans le cadre de crimes commis notamment pour assurer « le maintien de l'ordre ». Les opposants politiques, les défenseurs des droits de l'homme, mais aussi les travailleurs agricoles indiens et leurs représentants syndicaux, en conflit avec de « grands propriétaires terriens », en sont les plus régulières victimes.

Ainsi, par exemple, « lorsque la guerre civile a ravagé le Guatemala au début des années 80... l'armée guatémaltèque mettait alors en œuvre un programme de lutte anti-insurrectionnelle fondé sur l'exécution massive de civils non combattants... En juillet 1982, 302 personnes ont été massacrées par des soldats guatémaltèques dans la région de Huehuetenango peuplée en majorité de Chuj [...], des hommes, des femmes, des enfants ont été abattus par balle, frappés à coups de couteau, décapités, éventrés ou encore brûlés vifs... Quatre-vingt-onze d'entre eux étaient des enfants âgés de moins de douze ans, la plus jeune victime était un bébé de

---

1. *Special Power Act* : loi d'exception augmentant les pouvoirs répressifs pour lutter contre le terrorisme et portant gravement atteinte aux droits de la défense.
2. D'après le rapport AsF, « Mission exploratoire en Irlande du Nord », février 1998.

deux mois... Des milliers de personnes ayant "disparu" pendant la guerre civile ont en fait été tuées par les militaires et enterrées dans des cimetières clandestins... Bien que tout un chacun connaisse l'emplacement de ces cimetières clandestins, les autorités n'ont pas, pour autant que l'on sache, fait quoi que ce soit pour ouvrir des enquêtes à ce sujet », écrivait Amnesty International en 1992, soit douze ans après les faits [1]. En raison de ses révélations, Amnesty International est accusée par le Département d'État américain, au cours des années 80, d'être complice d'une « campagne de désinformation au service des communistes ». En réalité, afin de lutter contre l'expansion du communisme, l'agence de renseignement américaine (CIA) se rend complice des massacres organisés par les militaires guatémaltèques. Les preuves, contenues dans ses archives, ont été rendues publiques au cours de l'année 1999. « De 1966 à 1996, les militaires guatémaltèques ont massacré plus de 200 000 personnes grâce (du moins jusqu'en 1990) aux armes, aux conseils et à la protection des services spéciaux américains. Washington a clandestinement soutenu ces bouchers [...] au nom de la lutte sacrée contre la subversion castriste, et pour défendre les intérêts de l'*United Fruit Company*. Ont été assassinés des guérilléros, des syndicalistes, des hommes politiques, mais aussi des militants des droits de l'homme, des journalistes, de simples paysans, des femmes, des enfants... » [2], écrit le journaliste Vincent Jauvert.

Fin décembre 1965, sur les conseils de l'envoyé spécial de la CIA, la *Casa negra* est créée. Cellule clandestine au sein du palais présidentiel, elle est destinée à coordonner toutes les activités anticommunistes. En mars 1966, les premières exécutions clandestines débutent. Elles ne cesseront de gagner en ampleur. « En 1971, la CIA écrit : "Les forces de

---

1. Depuis la situation s'est modifiée et la justice tente de s'exercer. Amnesty International, « Amériques, droits bafoués des populations indigènes », *op. cit.*

2. Vincent Jauvert, « CIA, une sale guerre au Guatemala », *Le Nouvel Observateur*, 29/07-4/08/1999.

l'ordre éliminent en silence beaucoup de terroristes, principalement à l'intérieur du pays. Dans le seul département de
San Marcos, 200 ont été tués". L'Amérique continue de
financer l'horreur jusqu'à ce que, en 1977, Jimmy Carter
décide, au nom des droits de l'homme, de mettre un terme
à l'aide militaire. » [1]

Pourtant, en 1982, sous l'influence de Ronald Reagan,
l'aide militaire est reprise. « Washington sait pourtant que le
pouvoir guatémaltèque va engager dans les hauts plateaux
une répression pire que toutes les autres... La CIA note :
"Les commandants des troupes ont reçu l'ordre de raser
tous les villages et toutes les villes qui collaborent avec la
guérilla et d'éliminer toutes sources de résistance." La base
aérienne de Retalhuleu est transformée en immense centre
de torture, (dans lequel) il y aura eu, début des années 80,
environ 70 000 suppliciés... En 1983, pourtant, l'aide militaire est décuplée pour atteindre 50 millions de dollars. C'est
en décembre 1990, plus d'un après la chute du mur de
Berlin, que Washington met fin à son aide militaire au Guatemala. Les atrocités continuent, mais cette fois Washington
les dénonce. » [2]

Fin décembre 1996, un accord pour une paix stable et
durable a mis officiellement fin à la guerre civile. Une Commission de la vérité a été chargée de faire la lumière sur le
passé guatémaltèque. Cependant, face aux nombreuses
menaces qui continuent de peser sur les défenseurs des droits
de l'homme, les défenseurs des droits des indigènes, les syndicalistes, les journalistes, les avocats, les dirigeants des communautés religieuses, les témoins ou familles des victimes et
de manière générale toutes les personnes qui tentent de
contribuer à mettre en lumière les violences passées, il paraît
raisonnable de douter que la justice aura les moyens de se
réaliser pleinement. L'assassinat, au cours de l'année 1998,
d'une femme procureur ou celui d'un évêque engagé dans

---

1. Vincent Jauvert, « CIA, une sale guerre au Guatemala », *op. cit.*
2. Vincent Jauvert, *op. cit.*

cette quête de la vérité attestent des sérieuses difficultés qui menacent l'exercice du pouvoir judiciaire [1]. Malgré tout, en décembre 1998, pour la première fois la justice guatémaltèque a jugé trois responsables de massacres, commis en 1982 et qui avaient fait 270 victimes parmi des paysans non combattants. Les trois miliciens, membres des anciennes « patrouilles d'autodéfense civile » (PAC), ont été condamnés à mort.

Début mars 1999, le président américain Bill Clinton a avoué officiellement que les États-Unis ont soutenu les militaires guatémaltèques. À cette occasion, il a affirmé que « le soutien aux forces militaires et à des unités de renseignements engagées dans la violence et dans une large répression ne doit pas être répétée ». En avril 1998, l'administration Clinton avait remis à la Commission de la vérité, instance guatémaltèque chargée de faire la lumière sur le passé, toutes les preuves de l'implication de la CIA contenues dans ses archives. Ces documents sont depuis devenus publics. « Jamais dans l'Histoire, et nulle part ailleurs dans le monde – surtout pas en France ! –, les services spéciaux n'ont déclassifié, de gré ou de force, autant de documents top secret » [2], écrit le journaliste français. Cette reconnaissance du droit des citoyens de connaître les faits, même les plus condamnables, commis par leur pays est sans conteste le signe d'une réelle démocratie.

Si le courage dont fait preuve le président Bill Clinton en dévoilant les faits, ainsi que le courage qu'avait eu Jimmy Carter en voulant y mettre un terme, mérite d'être salué, il importe également de souligner que apparemment « aucun responsable américain ne sera traduit en justice, ni même sanctionné, pour complicité active à la boucherie. Il n'en est même pas question » [3].

---

1. Jakob Selebi, président de la 54ᵉ session de la Commission des droits de l'homme des Nations unies a vivement condamné l'assassinat de Mgr Gerardi.
2. Vincent Jauvert, « CIA, une sale guerre au Guatemala », *op. cit.*
3. Vincent Jauvert, *op. cit.*

Au Pérou, Amnesty International a, pendant des années, dénoncé les nombreux viols perpétrés par les militaires. En 1986, alors que l'association interrogeait des magistrats à ce sujet, elle obtint cette réponse : « Lorsque des troupes sont basées dans des régions rurales, il faut s'attendre à des viols. C'est naturel. On ne peut espérer de poursuites judiciaires dans ce genre de cas. »[1]

Le 12 février 1989, Me Pat Finucane, âgé de 38 ans, conseiller de nombreux prisonniers politiques en Irlande du Nord, est abattu chez lui, de 14 balles tirées à bout portant, devant sa femme et ses trois enfants. Les armes du meurtre avaient été dérobées au *Palace Army Barrachs* par un membre de l'*Ulster Defence Regiment*. En 1998, toujours aucune enquête sérieuse n'avait été entreprise pour retrouver les auteurs de l'attentat. Seule une condamnation pour vol fit suite à cette affaire[2].

En 1991, Éric Navet, maître de conférence en ethnologie à l'université de Strasbourg-II, écrit : « Depuis des années, des autochtones, des missionnaires et quelques hommes politiques accusent les gouvernements canadiens et américains de pratiquer une politique eugénique à l'encontre de leurs minorités, en particulier les Inuit et les Amérindiens. Au Canada, cela touche surtout les communautés isolées du Nord ; on a remarqué, en effet, qu'une proportion très élevée de femmes autochtones étaient stérilisées, pour des raisons prétendument médicales, sans en avoir été préalablement informées. Les questions adressées aux autorités, bien que des enquêtes aient été menées, sont restées sans réponse. »[3]

Me Lakhanpal, qui est l'un des principaux avocats, au Punjab, engagé dans la lutte pour la défense des droits de l'homme et qui assure en particulier la défense des victimes

---

1. Amnesty International, « Amériques, droits bafoués des populations indigènes », *op. cit.*
2. D'après le rapport AsF, « Mission exploratoire en Irlande du Nord », *op. cit.*
3. Éric Navet, sous la direction de Philippe Jacquin, *Terre Indienne : Un peuple écrasé, une culture retrouvée*, Autrement, 1991.

de violences policière, a perdu son fils, âgé de 10 ans, écrasé par une voiture. Avant la mort de son enfant, Mᵉ Lakhanpal avait subi de multiples menaces et pressions de la part d'un policier afin qu'il abandonne ses dossiers. Les témoins de « l'accident » ont relevé de nombreuses similitudes entre la voiture qui a tué l'enfant et celle du policier vindicatif. Depuis 1995, Mᵉ Lakhanpal attend l'ouverture d'une enquête et l'incrimination du coupable [1].

En 1998, le Comité des droits de l'homme des Nations unies a exhorté les autorités de l'Uruguay à amender la loi de prescription de 1986. Cette loi assure l'impunité aux membres de la police ou de l'armée responsables d'actes de violence, assassinat ou torture, commis entre 1973 et 1985.

L'impunité pour seule réponse au désir de justice des victimes attise la haine et les velléités de vengeance.

« Aussi dur que cela soit, il faut trouver un moyen de se débarrasser de la haine contre tout peuple en tant que peuple. La haine doit être dirigée contre les "perpétrateurs" des atrocités, non contre un peuple en son ensemble... La seule façon de retrouver l'espoir dans le futur est de dissiper la haine, ainsi qu'une certaine forme de pardon, pour faire en sorte qu'il y ait une vraie réconciliation. Or, personne ne peut pardonner ce qu'il ne sait pas. Sans justice, la vérité reste simplement cachée. Et sans justice, sans vérité, il ne peut y avoir de pardon » [2], déclara Richard Goldstone, à la suite du génocide au Rwanda en 1994.

Plus de cinq ans après le génocide au Rwanda, les juridictions nationales des pays tiers commencent enfin à connaître des faits et des plaintes déposées devant elles en vertu du principe de « compétence universelle » en matière

---

1. D'après AsF, Rapport d'une mission d'exploration au Punjab, novembre 1998, traduction libre.
2. Interview de Richard Goldstone, procureur des tribunaux pénaux internationaux pour le Rwanda et l'ex-Yougoslavie, réalisée par *African Rights* et publiée dans « La justice internationale face au drame rwandais », *op. cit.*

de crime contre l'humanité. La Suisse est le premier pays à avoir appliqué ce principe de compétence universelle et à avoir jugé une personne suspectée de génocide [1]. Un procès est également annoncé en Belgique et des dossiers sont en cours d'enquête au Canada et en France. Avocats sans Frontières réitère son appel aux pays qui hébergent des personnes présumées avoir commis des crimes de génocide ou des crimes contre l'humanité au Rwanda, à faire le nécessaire pour que des poursuites effectives soient engagées à leur encontre. AsF dénonce l'impunité des organisateurs même du génocide qui sont « réfugiés dans des conditions souvent confortables dans des pays occidentaux,... (Or, l'impunité dont ils bénéficient) contredit les efforts que la justice mène au Rwanda, et en diminue la légitimité aux yeux de la population » [2].

La France a laissé impunis pendant plus de cinquante ans ses anciens hauts fonctionnaires impliqués dans les crimes du régime d'occupation nazi. La Suisse entame à peine le processus de reconnaissance de l'existence, sur son territoire, d'actes pouvant être qualifiés de complicité avec le régime nazi au cours de la Seconde Guerre mondiale.

Dans certains pays, c'est la femme violée qui est emprisonnée, et le violeur jamais poursuivi, alors que dans de nombreux autres les victimes d'incestes n'ont que très peu de chance d'être entendues par un tribunal.

La très grande majorité des détenus torturés par des gardiens ou des officiers de l'État à travers le monde n'auront jamais accès à un juge indépendant, disposé à les entendre. Des millions de personnes démunies, victimes de violations de leurs droits fondamentaux, n'auront jamais la possibilité de recourir à la justice.

En Afghanistan, les femmes comme leurs filles sont privées de leurs droits fondamentaux, privées du droit de tra-

---

1. La Suisse a jugé et condamné à perpétuité un bourgmestre rwandais suspecté de génocide. Il est actuellement en appel.
2. Rapport AsF, « Justice pour tous au Rwanda », 1999.

vailler, de s'éduquer, de se déplacer. Nombre d'entre elles sont enlevées et « mariées » de force. D'autres sont emprisonnées et battues pour ne pas avoir respecté les obligations vestimentaires décrétées par les *taliban*. Les enseignants qui ont développé « l'école à domicile », les hommes qui refusent de porter la barbe, les chauffeurs de taxis qui acceptent de transporter des femmes, les homosexuels... sont arrêtés, certains torturés et exécutés. Amputations publiques, flagellations, mises à mort sont régulièrement signalées. Des milliers de civils, hommes et femmes, vieillards et enfants, ont été égorgés ou abattus par balle délibérément par les *taliban*. De nombreuses attaques ont été perpétrées contre le personnel des Nations unies et contre les organisations humanitaires... Il semble aussi difficile d'imaginer comment une justice indépendante pourrait s'exercer en Afghanistan que comment mettre fin aux très graves et multiples violations des droits de la personne qui s'y perpétuent.

« En Sierra Leone, des rebelles fous ont tranché la main d'enfants sans défense pour imposer la terreur... quel que soit leur âge, les enfants sont balayés par la folie meurtrière des hommes... Cette odieuse destruction physique et psychologique fait fi de toute considération pour le respect de la vie et des droits de l'homme. Victimes de la sauvagerie humaine, atrocement meurtris, des milliers d'enfants voient ainsi leurs droits les plus élémentaires bafoués. »[1] Il semble peu crédible aujourd'hui d'espérer que ces enfants verront un jour les responsables poursuivis, la justice s'exercer, leurs droits, ne serait-ce même qu'*a posteriori*, reconnus. L'amnistie pour tous ces crimes de guerre a été imposée par les rebelles du Front révolutionnaire uni (RUF), toujours armés, comme préalable à tout retour de paix[2].

Le 27 novembre 1999, « dix milles personnes ont mani-

---

1. Handicap International, lettre d'information, novembre 1999.
2. *Cf.* Stephen Smith, « Le passé mutilé de la Sierra Leone », *Libération*, 28/01/2000.

festé à Ouagadougou pour exiger la fin de l'impunité des crimes de sang »[1]. En descendant dans la rue, les populations du Burkina Faso réclament leur droit d'accès à la justice.

Ailleurs, à travers le monde occidental, des manifestations ponctuent chaque étape du processus décisionnel d'expatriation du général Pinochet vers l'Espagne, qui l'attend pour le juger. Elles témoignent de l'espoir porté par les victimes, et par leurs nombreux sympathisants, de voir la justice s'exercer à l'encontre de l'ancien chef d'un régime qui est suspecté d'avoir torturé et tué tant de ses citoyens[2]. Lors des négociations sur la création de la nouvelle cour pénale internationale, qui se sont déroulées à Rome en juin et juillet 1998, des milliers de manifestants ont proclamé leur soutien et leurs espoirs dans la création d'une justice internationale indépendante pour connaître des crimes les plus graves commis à travers le monde et mettre un terme à leur impunité.

« Nul ne peut être arbitrairement détenu, arrêté ou exilé. » (article 9, Déclaration universelle des droits de l'homme)

En 1983 à Cuba, Sébastien Arcos, ancien ambassadeur de Cuba en Belgique et vice-président de la Ligue cubaine des droits de l'homme, est condamné pour « propagande hostile » et emprisonné. Grâce à la mobilisation de France Liberté et d'AsF, il a été libéré en juin 1995.

« Rien que sous l'autorité de Botha, entre 1979 et 1989, on estime à 30 000 le nombre de Noirs arrêtés sans accusations... Indubitablement, la violence et la cruauté n'étaient pas le fait de bavures policières, mais bien un instrument de

---

1. *Libération*, « Burkina : manifestation », 29/11/1999.
2. Au moment de la publication de cet ouvrage, la décision d'extrader le général Pinochet vers l'Espagne ou de le laisser rentrer au Chili en raison de ses conditions de santé n'avait pas encore été prise de manière définitive par l'Angleterre.

pouvoir qui s'octroyait le droit de combattre ainsi l'ennemi racial ou politique. » [1]

Au Rwanda, en 1993, à la suite d'une caricature publiée par un journal, un journaliste est emprisonné pour « injure à la personne du chef de l'État » et condamné à cinq ans d'emprisonnement. Il constitue le premier cas d'intervention d'Avocats sans Frontières qui obtiendra sa libération et établira un rapport accablant sur les massives violations des droits des prisonniers politiques.

La même année, dans un article intitulé « Le grand rédempteur du Sierra Leone devient millionnaire alors que son peuple continue à mourir de faim », plusieurs journalistes accusent le capitaine Stasser, au pouvoir depuis le coup d'État d'avril 1992, ainsi que plusieurs membres de son gouvernement, d'avoir vendu, à leurs seuls profits, des quantités importantes de diamants Ils sont arrêtés et inculpés de « divulgations de fausses nouvelles ». Sous la pression concertée de Reporters sans Frontières et d'Avocats sans Frontières, le procès fut indéfiniment remis et les journalistes libérés.

Le 17 février 1994, 16 avocats, dont 8 sont détenus, comparaissent devant la cour de sûreté de l'État de Diyarbakir. Le libellé des préventions mises à charge d'un des accusés est « d'avoir adressé des messages à des associations européennes des droits de l'homme et d'avoir, par l'envoi des télécopies, noirci l'image de la Turquie en telle sorte qu'il devrait être considéré comme agent de propagande du Parti des travailleurs du Kurdistan (PKK) » [2]. Dans le même temps, le Parlement turc restaure la peine de mort. La défense, assurée par AsF en collaboration avec un avocat turc, a obtenu la libération générale.

Le 3 août 1994 s'est ouvert, devant la cour de sûreté de l'État à Ankara, le procès de dix parlementaires poursuivis pour des discours qu'ils ont prononcés ou pour des

---

1. Amnesty International, *Les Droits humains, une arme pour la paix, op. cit.*
2. Le PKK est un parti séparatiste ayant recouru à la guérilla depuis 1984.

« délits de pensée »... Le 24 novembre, la Cour a prononcé à leur encontre des peines allant de 3 à 15 ans d'emprisonnement.

Dans son rapport annuel, Amnesty International relève pour l'année 1998 en Turquie que « plusieurs centaines de personnes ont été arrêtées en raison de leurs activités politiques non violentes, la plupart ont été rapidement relâchées par la police, mais certaines ont été condamnées à des peines d'emprisonnement... Ainsi, Akin Birdal, président de l'IHD [1], a été condamné à un an d'emprisonnement [2] en raison d'un discours qu'il a tenu à l'occasion de la Journée mondiale de la paix en 1996. Sa condamnation a été confirmée au cours du mois d'octobre... Zeynep Baran, présidente de la Fondation pour la solidarité des femmes kurdes, a été condamnée à deux ans d'emprisonnement pour avoir publié une brochure présentant son organisation. Sa sentence a été confirmée par la cour d'appel en novembre... En avril, Recep Tayyip Erdogan, maire d'Istanbul, a été condamné à dix mois d'emprisonnement pour un discours prononcé en décembre 1997. L'acte d'accusation faisait expressément référence à une citation de quatre lignes, cri de ralliement de l'islam, extraites de l'œuvre du poète Ziya Gökalp, qui ne prône pourtant en aucune manière le recours à la violence... En juin, l'avocat Esber Yagmurdeli a été de nouveau incarcéré afin de purger le reste d'une peine de dix mois d'emprisonnement en raison d'un discours qu'il avait prononcé en 1991. En conséquence de cette condamnation, il a perdu le bénéfice d'une remise de peine concernant le reliquat – de 16 ans – d'une condamnation à perpétuité antérieurement prononcée contre lui à l'issue d'un procès inique » [3].

---

1. IHD : *Insan Haklari Dernegi*, association turque pour la défense des droits de l'homme.

2. La plupart de ces condamnations sont prononcées en vertu de l'article 312 du code pénal turc concernant « l'incitation à la haine » et en vertu de l'article 8 de la loi antiterroriste qui interdit toute apologie du séparatisme.

3. Amnesty International, Rapport annuel 1999, *op. cit.*

Au Viêt-nam, au cours de l'année 1998, au moins « quarante personnes ont été emprisonnées à l'issue de procès inéquitables pour des infractions de nature politique. Cinquante-trois nouvelles condamnations à mort et dix-huit exécutions ont été signalées, mais ces chiffres sont bien en deçà de la réalité »[1].

En Arabie saoudite « un très grand nombre de personnes soupçonnées d'être des opposants politiques ou religieux ont été arrêtées... beaucoup ont été maintenues en détention secrète. Des prisonniers politiques incarcérés au cours des années précédentes, qui se comptaient vraisemblablement par centaines et dont certains sont sans doute des prisonniers d'opinion, ont été maintenus en détention sans avoir été jugés, ni même peut-être inculpés... Des peines d'amputation et de flagellation ont été prononcées à titre de châtiment judiciaire, au moins 29 prisonniers ont été exécutés à l'issue de procès n'ayant pas respecté les normes internationales de procès »[2].

En 1998, en Chine, « plus de 200 000 personnes étaient toujours en détention administrative, sans inculpation, ni jugement. Elles se trouvaient dans des camps de "rééducation par le travail" »[3].

« Au Pérou, des enfants âgés de trois ans ont été arrêtés par les forces de sécurité sous prétexte qu'ils étaient des éléments subversifs présumés. »[4] C'était dans les années 80. Ils ont depuis « disparu ».

---

1. Amnesty International, Rapport annuel, *op. cit.*
2. Amnesty International, Rapport annuel, *op. cit.*
3. Amnesty International, Rapport annuel, *op. cit.*
4. Amnesty International, « Amériques, les droits bafoués des populations indigènes », *op. cit.*

« Toute personne a droit, en pleine égalité, à ce que sa cause soit entendue équitablement et publiquement par un tribunal indépendant et impartial, qui décide soit de ses droits et obligations, soit du bien-fondé de toute accusation en matière pénale, dirigée contre elle. » (article 10, Déclaration universelle des droits de l'homme)

Depuis des années, de nombreux Palestiniens subissent des détentions administratives décidées par les autorités militaires israéliennes. Ni les détenus ni leur défense n'ont accès aux règles (définies par une ordonnance de 1970) régissant leur détention. L'instruction à charge est faite par les services secrets israéliens qui ne transmettent aucune pièce à la défense, privant celle-ci de la possibilité de les réfuter ou d'en analyser le bien-fondé. Seul le juge a accès au dossier. Le juge est un militaire ainsi que le procureur. Les audiences se déroulent en hébreu, un militaire sert d'interprète. Seuls des avocats israéliens sont autorisés à plaider. Très peu d'avocats israéliens sont prêts à assumer de telles défenses. La détention administrative peut être renouvelée à l'infini[1].

En août 1971, en réponse à l'exécution d'un soldat britannique par l'*Irish Republican Army* (IRA), le gouvernement unioniste d'Irlande du Nord élabore, avec l'autorisation du gouvernement britannique, la *Special Power Act,* autorisant l'arrestation et l'emprisonnement pour une durée indéterminée de « suspects », sans la moindre inculpation ni le moindre jugement. « En moins d'une année, 900 personnes, principalement des membres de la communauté catholique irlandaise, sont emprisonnées. L'opinion publique se mobilise pour protester contre cette législation d'exception et décide d'organiser des manifestations dont celle du célèbre *Bloody Sunday.* »[2]

La sûreté de l'État est à chaque fois le motif invoqué pour

---

1. D'après AsF, « Rapport de mission en Israël », mission réalisée à la demande d'une avocate du barreau de Tel Aviv, en 1996.
2. AsF, Rapport de mission exploratoire en Irlande du Nord, *op. cit.*

justifier la violation du droit d'être entendu publiquement et équitablement par un tribunal indépendant et impartial, tel qu'il est notamment défini par l'article 10 de la déclaration universelle des droits de l'homme.

« Toute personne accusée d'un acte délictueux est présumée innocente, jusqu'à ce que sa culpabilité ait été légalement établie, au cours d'un procès public où toutes les garanties nécessaires à sa défense lui auront été assurées. » (article 11, Déclaration universelle des droits de l'homme)

Le 12 avril 1991 une loi anti-terreur, contenant une série de dispositions incompatibles avec le respect des droits de la défense, est adoptée par le législateur turc. De nombreuses personnes sont arrêtées en vertu de cette législation d'exception. La répression se fait particulièrement sentir à l'égard des intellectuels kurdes, journalistes, médecins et avocats. Nombre d'entre eux sont emprisonnés et torturés. Les avocats, qui tentent de prendre en charge la défense de ces personnes devant la cour de sûreté de l'État, sont à leur tour arrêtés. Le 25 novembre 1993, un avocat qui assurait la défense de ses confrères est retrouvé mort, assassiné.

Le 15 décembre 1993, parmi les préventions mises à charge d'avocats détenus, figurent celles d'être membre d'une organisation de défense des droits de l'homme ou d'avoir correspondu avec une telle organisation. « Le Barreau de Diyarbakir est un barreau en sursis. Tout avocat qui y dénonce les atteintes aux droits fondamentaux de ses clients court un risque considérable. Certains ont payé leur courage de leur vie, d'autres sont emprisonnés ou torturés »[1], dénonce AsF au retour d'une de ses missions en Turquie.

En décembre 1994, quatre avocats ayant participé à l'édition d'un livre dénonçant les violations des droits de l'homme commises par l'armée turque dans le sud-est du

---

1. AsF, Bulletin n° 4, quatrième trimestre 1994.

pays sont arrêtés et emprisonnés. Le 13 février, ils comparaissent devant la cour de sûreté de l'État en tant que membres du parti séparatiste PKK. Les témoins à charge, qui les ont identifiés comme membres du PKK, retirent leur déposition, déclarant à la Cour les avoir signées sous la torture. Malgré une présence internationale, malgré la ratification en 1988 par la Turquie de la Convention des Nations unies contre la torture prévoyant notamment, en son article 15, la nullité de toute déclaration obtenue sous la torture, la cour de sûreté de l'État maintient la validité des témoignages à charge. La cour de sûreté de l'État viole de ce fait, devant témoins, le droit international auquel la Turquie a adhéré et avalise l'usage de la torture.

Un grand nombre de détenus entament des grèves de la faim, afin d'attirer l'attention de l'opinion internationale sur les violations de leurs droits et les conditions de leur détention. Amnesty International est déclarée *persona non grata* dans le sud-est du pays. Un rapport d'enquête, établi par AsF sur la situation des prisonniers politiques, fait apparaître une volonté gouvernementale de procéder à l'éloignement et à l'isolement des prisonniers politiques. Transférés dans des prisons éloignées parfois de plusieurs centaines de kilomètres de leur lieu de résidence, ils sont de ce fait privés de contact avec leur famille ainsi qu'avec leur avocat, ces derniers n'ayant souvent pas l'autorisation de sortir de la ville où ils exercent. Généralement, ils n'ont pas la possibilité d'assister à leur propre procès, l'éloignement « justifiant » leur absence. Enfin, sans risque de témoignage extérieur, ils sont régulièrement victimes de violence.

Le 2 décembre 1996, la Commission européenne des droits de l'homme déclare recevable la requête d'avocats du Barreau de Diyabarkir, qui furent arrêtés et torturés en 1993 pour avoir assuré la défense de leurs clients kurdes. En 1996, une centaine d'autres cas sont aussi devant cette instance juridictionnelle européenne [1].

---

1. D'après AsF, Rapport de mission en Turquie, février-mars 1999.

Le 10 décembre 1996, le procureur du tribunal correctionnel d'Istanbul réclame des peines allant jusqu'à 6 ans d'emprisonnement contre Mme Zazakolu et M. Kürkçu pour avoir respectivement édité et traduit un rapport de *l'Human Right Watch*. Pourtant, les auteurs en revendiquent la paternité. Édité en anglais aux États-Unis, en 1995, le rapport en cause dénonce tant les exactions commises par le PKK que par les forces armées turques et les autorités civiles à l'encontre des populations civiles.

Le 9 juin 1998 et le 28 octobre 1998, dans deux affaires mettant en cause la Turquie [1], la Cour européenne des droits de l'homme a précisé que la cour de sûreté de l'État, telle qu'organisée par la Constitution turque, ne peut être considérée comme une juridiction indépendante et impartiale au sens de l'article 6 de la Convention européenne de sauvegarde des droits de l'homme et des libertés fondamentales. Suite à diverses plaintes examinées par elle, la Cour européenne des droits de l'homme a également relevé que les autorités turques n'avaient pas enquêté de manière adéquate sur les allégations d'exécutions extrajudiciaires.

Dans son rapport annuel, Amnesty International, qui condamne les actes de violence et homicides volontaires perpétrés par les groupes séparatistes armés [2], relève également qu'aux termes de la nouvelle législation antiterroriste « les détenus n'ont le droit de contacter leur avocat – garantie essentielle contre la torture – que seulement quatre jours après leur placement en garde à vue. En pratique, ce droit leur a bien souvent été refusé ou a été limité au point de devenir pratiquement insignifiant. La diminution du nombre de cas de torture notée en 1997 s'est apparemment poursuivie (mais ils sont) néanmoins encore très fréquents. Beaucoup de détenus, hommes et femmes, ont déclaré avoir été

---

1. Arrêt Incal contre Turquie, 9/06/1998 et arrêt Iraklar contre Turquie, 28/10/1998.
2. Dont le PKK, l'Armée de libération des paysans et travailleurs turcs (Tikko) et le Parti-Front révolutionnaire de libération du peuple (DHKP-C).

soumis à des sévices sexuels. Comme les années précédentes, des enfants figurent encore parmi les victimes de torture [...] Au moins dix personnes seraient mortes en détention, apparemment des suites d'actes de torture [...] Au moins cinq personnes ont été victimes de "disparition" [...] Au moins quinze personnes auraient été victimes d'exécutions extrajudiciaires... »[1]

Cette énumération, basée sur certaines des nombreuses interventions faites par AsF en Turquie, témoigne du durcissement des violations des droits de l'homme dans ce pays, et particulièrement de la totale négation des droits de la défense ou de la présomption d'innocence qui y prédomine à chaque fois qu'il s'agit de personnes ou d'actes ayant, d'une manière ou d'une autre, rapport avec la situation des Kurdes de Turquie.

Malgré un système judiciaire basé sur la *Common Law,* les mêmes éléments de dérives peuvent être analysés en Inde. De manière générale, les droits de la défense y sont définis à travers diverses protections légales : limitation de la garde à vue à 24 heures avec droit de faire appel à un avocat, communication au prévenu des charges et des preuves retenues contre lui, existence d'un système *pro deo* en cas de difficulté financière. Dans un pays où moins d'un tiers de la population (estimée à 944,6 millions d'habitants) est active et où 48 % d'entre elle est analphabète[2], ce dernier point constitue une importante garantie des droits effectifs de la défense.

Pourtant, pour faire face au terrorisme et aux mouvements séparatistes armés qui menacent la République fédérale, notamment au Cachemire et au Punjab, l'Inde a adopté une attitude contraire à ses propres lois. Celle-ci se traduit dans les faits par une omniprésence militaire, une augmentation des contrôles policiers et, dans les textes, par l'adoption de

---

1. Amnesty International, Rapport 1999, *op. cit.*
2. Chiffres fournis par *L'État du Monde*, La Découverte, 1998.

plusieurs lois d'exception qui violent, entre autres, les droits de la défense. En vertu de la *Terrorist and Disruptive Activities Act* (Tada Act), la durée de la détention préalable à toute rencontre avec un magistrat est portée à deux ans. Le suspect peut être amené à comparaître sans le recours d'un avocat. Les aveux obtenus sous la torture sont validés.

Ces lois d'exception, contraires aux droits de l'homme, aboutissent à de nombreuses violations des libertés fondamentales garanties par la Constitution indienne. En sont les principales victimes non seulement les personnes suspectées d'actes terroristes mais aussi les membres de leurs familles, les personnes qui tentent de les aider ou de les protéger, les témoins et, de manière générale, toute personne qui essaie de retrouver un « disparu » ou qui est amenée à proclamer les droits des victimes : journalistes, avocats, prêtres, enseignants... ainsi que leurs proches.

« Au Punjab, les "dérapages" atteignent des proportions dramatiques. L'une des raisons en est la catégorie sociale et économique dans laquelle les policiers ont été massivement recrutés depuis quelques années, en vue de lutter contre le terrorisme. En résulte une large propension à la corruption et une conséquente augmentation des "erreurs judiciaires". La police contribue de plus en plus à établir une atmosphère générale de terreur, non seulement à l'encontre des "opposants armés" mais plus largement encore à l'encontre des populations civiles et particulièrement des Sikhs du Punjab. Sous le prétexte d'un interrogatoire, n'importe qui peut être arrêté. Dans le meilleur des cas, la personne est relâchée après avoir subi plusieurs heures d'humiliations. Elle peut également être victime de violence, torture ou "disparition", terme qui couvre soit sa détention dans un centre tenu secret, soit son assassinat, le corps étant ensuite brûlé [...] Certaines familles de victimes ne sauront jamais si "leur disparu" est décédé ou survivant quelque part dans une prison. La police n'hésite pas à nier la détention et même l'arrestation de la personne "disparue", pas plus qu'elle n'hésite à la transférer dans une prison éloignée de plusieurs centaines de kilomètres, parfois même hors du territoire national [...] Il existe de nombreux cas où la police demande à la famille de payer une rançon pour la libération du prisonnier. Un résultat commun semble être recherché dans les différentes formes de torture : obtenir la stérilité de la victime. Le viol comme le décès de la victime sont très fréquents [...] Peu de victimes ou membres des familles de disparus osent témoigner, effrayés par l'idée des représailles qu'ils encourent. La situation est tellement grave que les plaintes sont déposées par ceux amenés à aider les victimes ou à les rencontrer : médecins, avocats, magistrats, représentants d'organisations humanitaires, journalistes ou témoins. Généralement, les plaintes déposées prennent plusieurs années avant d'aboutir à un procès [...] laissant le temps à la police de terroriser les victimes et les témoins, ou de les arrêter sous divers faux prétextes... »[1]

Les magistrats qui acceptent d'enregistrer les plaintes déposées contre la police, les médecins qui rédigent des certificats attestant des violences subies deviennent, eux et leurs familles, des victimes potentielles... Nombre d'avocats et membres de leurs familles ont « disparu » au cours des dernières années. « Même si l'État indien tente de faire face à cette situation, les moyens mis en œuvre sont dérisoires face à l'ampleur de la corruption policière. »[2]

La présomption d'innocence et le droit à un procès public respectant les droits de la défense comptent parmi les garanties fondamentales d'une bonne administration de la justice. Or, leur existence est régulièrement mise en péril. « Fuites » délibérées de l'instruction vers la presse à scandale, divulgation de l'identité des suspects des mois avant l'ouverture du procès, « campagne de presse » influant sur ou mettant en cause la sérénité des futurs jurés sont parmi les exemples des

---

1. AsF, Report of exploratory mission to Punjab, novembre 1998, *op. cit.*, traduction libre.

2. AsF, Report of exploratory mission to Punjab, novembre 1998, *op. cit.*

pratiques les plus courantes dans certains « pays démocratiques ». La prolongation indéfinie des gardes à vue, l'intimidation des témoins, le refus de communication au prévenu
des charges et preuves retenues contre lui, les pressions et
menaces subies par l'avocat, son assimilation à son client,
son arrestation, ou l'impossibilité pour le prévenu de recourir
à ses conseils, les lois d'exception visant à abroger les droits
de la défense ou la gravité des entraves portées à leur juste
utilisation sont autant de faits pouvant être analysés comme
les signes d'une dérive dictatoriale de la société dans laquelle
ils existent. « Les tribunaux et les affaires que l'on y traite
sont bien souvent le reflet de la société qui les a conçus,
comme une sorte de modèle réduit du pays ou de la région
dans lesquels ils se trouvent. »[1]

Outre les entraves que certains pouvoirs imposent à l'organisation de leur système judiciaire, d'autres « dysfonctionne-
ments » participent à l'altération de la justice.

Au printemps 1994, le génocide au Rwanda entraîne la
mort de centaines de milliers de personnes, parmi lesquelles
de nombreuses personnalités du monde judiciaire. À l'heure
de rétablir la paix, la communauté internationale décide
d'intervenir pour permettre l'exercice de la justice. Outre la
création par les Nations unies du tribunal pénal international
pour le Rwanda (TPIR), des ONG et des États tentent
d'apporter une aide suffisante pour la remise en marche du
système judiciaire rwandais. L'ONG Réseau des citoyens
(RCN), basée à Bruxelles, prend en charge la formation
« accélérée » des futurs magistrats. Collecter et enregistrer
des témoignages, ou enquêter, nécessite également une formation et des moyens spécifiques. Des formateurs, du
papier, des bureaux, des véhicules... tout ce qui fait défaut
est envoyé au Rwanda.

Dans un pays où les accusés encourent la peine de mort,
la communauté internationale, qui s'est mobilisée pour créer

---

1. Mᵉ Christine Van Risseshem pour AsF, Rapport de mission exploratoire
en Irlande du Nord, *op. cit.*

les conditions nécessaires à la conduite des enquêtes, « oublie » l'importance d'organiser aussi la défense. Au Rwanda, en 1994, aucun barreau n'existe. Les quelques avocats qui ont survécu au génocide sont isolés. Trop peu nombreux pour défendre les intérêts des parties civiles, ils ne sont pas en mesure d'assumer leur rôle auprès des suspects, soit parce qu'ils craignent les réactions de la population, soit parce qu'ils sont eux-mêmes victimes. Parties civiles ou suspects, rien n'est prévu pour prendre en charge la défense de leurs intérêts et garantir le juste déroulement des procès. Seule AsF développera un projet pour combler ces importantes lacunes.

Tous ces exemples, qui ne sont pas exhaustifs, des multiples formes de négation des droits de la défense ébranlent la confiance dans le fonctionnement de la justice et, partant, dans l'État de droit. Or, « l'absence d'État de droit – qui a pour conséquence d'occulter les moyens démocratiques de gestion des conflits, par exemple par arbitrage ou recours à un tribunal – favorise le recours à la force pour imposer des solutions inégales et violentes »[1], engendrant un renforcement de la dictature en place ou provoquant des situations de révoltes et de guerre civile[2].

Parce que les cours et tribunaux sont les garants du respect des lois, parce que les lois et l'État de droit se doivent d'être les premiers et ultimes remparts protégeant la vie et la dignité de l'individu, parce que la confiance dans le fonctionnement de ces institutions est la seule alternative à la violence et à l'insécurité qui résultent des vengeances individuelles ou collectives, il importe de tout mettre en œuvre pour que la justice, qui est « le reflet de la société » dans laquelle elle s'applique, s'administre de manière loyale et

---

1. Amnesty International, *Les Droits humains, une arme pour la paix, op. cit.*
2. En 1993, les deux premières missions auxquelles AsF a répondu se sont déroulées au Rwanda et en Sierra Leone. La suite dramatique de l'histoire de ces deux pays peut servir d'illustration à ce constat.

impartiale. À cette fin, il importe notamment que toujours et partout l'homme puisse avoir recours à un avocat indépendant et libre, soit pour demander réparation de ses droits bafoués et mettre en marche l'action de la justice, soit pour veiller au respect de ceux-ci, soit enfin pour garantir et attester que la justice s'est exercée de façon indépendante et dans les meilleures conditions d'équité et de sérénité possible. Cette garantie et la confiance dans la justice qu'elle apporte sont indispensables au fonctionnement de la démocratie, et sont d'incontournables outils de protection des droits de la personne.

Avocats sans Frontières organe de mise en application de la Déclaration universelle des droits de l'homme devant les tribunaux

Afin de forcer les institutions étatiques à respecter les lois qui les gouvernent, afin de préserver le principe d'égalité d'accès à la justice pour tous, afin de préserver la confiance dans le fonctionnement de la justice et, partant, dans celui des États démocratiques, afin de participer à l'installation de la démocratie dont les bases souvent sont décelables dans les textes de lois et pactes internationaux ratifiés, afin surtout de veiller à l'application coercitive des multiples dispositions juridiques de protection des droits de l'homme et d'en exiger le respect, les représentants de plusieurs barreaux ont créé, à Bruxelles, en 1992, l'association Avocats sans Frontières.

Sa Charte fondatrice, ratifiée le 24 janvier 1992, se réfère à la déclaration de l'Union internationale des avocats (UIA) sur l'accès à la justice pour tous [1] qui stipule dans son article premier : «Tout homme a droit à l'avocat de son choix,

---

1. La déclaration de l'Union internationale des avocats sur l'accès à la justice pour tous a été signée à Morelia, le 2 août 1991. Le bâtonnier Mario Stasi, du barreau de Paris et membre du CIB, joua un rôle prépondérant dans la mise en œuvre de cette déclaration.

quand bien même cet avocat serait étranger à l'État au nom duquel la justice est administrée. »

Avocats sans Frontières, association sans but lucratif, de droit belge, s'est rapidement étendue. À l'occasion du cinquantième anniversaire de la Déclaration universelle des droits de l'homme, a été créée, à Bruxelles, l'association *AsF-World* destinée à coordonner les associations nationales qui ont vu le jour depuis 1992. Présente actuellement en Algérie, au Danemark, en France, en Italie, au Mali, en Mauritanie, aux Pays-Bas et en Suède[1], elle s'est donné pour objectif d'intervenir à chaque fois que le respect des droits de la défense l'impose, en tous lieux et pour tous, indépendamment de toutes distinctions politiques, religieuses, raciales, ethniques ou sexistes.

Libre de toutes pressions gouvernementales, impartiale, elle se fonde sur les droits de l'individu tels que reconnus dans la Déclaration universelle des droits de l'homme et définis dans les traités internationaux.

Par souci de respectabilité, la plupart des États ont adhéré à des normes juridiques internationales garantissant les droits de la personne et mis en place des systèmes judiciaires permettant de lutter contre l'arbitraire. Ainsi, notamment, près de 130 États ont ratifié le Pacte international relatif aux droits civils et politiques ainsi que le Pacte international relatif aux droits économiques, sociaux et culturels élaborés par l'Assemblée générale des Nations unies. Ces pactes sont juridiquement contraignants pour ces États. L'ensemble de ces textes de lois sont les armes de l'association qui, devant les cours et tribunaux, en demande le respect et l'application.

La spécificité de l'association conduit l'avocat sans frontières à étudier et à développer, préalablement à toute intervention, une argumentation juridique conforme au droit interne du pays en cause ou au droit international ayant des

---

1. Des organisations en Suisse, en Grande-Bretagne et en Allemagne sont également candidates.

effets directs dans ce pays. Ainsi armé, il peut forcer le débat judiciaire lorsque celui-ci n'est pas ouvert, contribuer, à la barre, à une meilleure administration de la justice et notamment à la sauvegarde des droits fondamentaux de l'individu ; enfin, il peut utilement témoigner, sur la scène internationale, des violations du droit dont un État se rend coupable. « De Cuba, de l'Équateur, de l'Égypte, de l'Éthiopie, de l'Inde, du Kurdistan, du Liban, du Rwanda, du Sierra Leone, de Somalie ou encore du Zaïre, on dénonce à Avocats sans Frontières des situations intolérables qui surviennent à l'occasion de l'administration de la justice. Pourtant, le droit à un procès équitable est l'un des fondements de l'État de droit tout comme l'est une bonne administration de la justice... Avocats sans Frontières défend ardemment ces principes et entend intervenir par ses missions d'assistance aux avocats locaux ou d'intervention pure et simple lorsque les droits de la défense ou, plus généralement, la possibilité d'accéder à un juge indépendant et impartial sont mis en péril », écrit Me Bavo Cool, président d'Avocats sans Frontières, en 1994 [1].

Pour faire face à ces sollicitations, l'association développe plusieurs modes d'action. Elle envoie un avocat auprès de toute personne, partie civile ou accusée, qui se trouve dans l'impossibilité de bénéficier sur place d'un avocat libre et indépendant, que ce soit en raison de la situation politique du pays ou de la particularité de l'affaire et des personnes mises en cause. Elle envoie également un avocat pour assister ses confrères lorsque la sécurité ou l'indépendance de l'avocat local sont menacées. Enfin, elle contribue à la formation d'un pool d'avocats, répartis à travers le monde, à la spécificité de la défense des droits de l'homme et des recours devant les juridictions internationales [2].

---

1. Me Bavo Cool, Bulletin n° 4, AsF, *op. cit.*
2. Cette formation est particulièrement destinée aux avocats exerçant dans des pays violant régulièrement les droits de l'homme ou pour ceux issus de pays où l'accès à une telle formation n'est pas possible. En formant ces avocats, AsF

L'action de l'association peut être engagée à la demande du justiciable ou à celle d'un confrère qui estime qu'une affaire ne présente pas les garanties nécessaires au respect des droits de la défense. Elle peut également être déclenchée par les autres ONG humanitaires comme, notamment, Amnesty International, Reporters sans Frontières ou la Fédération internationale des droits de l'homme. AsF n'a pas pour objectif de se substituer aux autres mais, de manière complémentaire, de plaider à la barre, là où aucune autre organisation humanitaire n'a accès, le combat des droits de l'homme.

Quelques grands projets regroupent au sein de l'association les divers types d'actions menées.

Dans les « missions individuelles », l'avocat sans frontières agit seul ou en assistance avec un avocat local. La première mission effectuée dans ce cadre fut la défense d'un journaliste rwandais en 1993. L'action de l'association avait alors été mise en marche par Reporters sans Frontières [1]. Depuis lors, de très nombreuses autres missions ont été effectuées, plusieurs en Turquie, mais également en Albanie, au Brésil, à Cuba, à Djibouti, en Espagne, en Grèce, en Inde, en Israël, en Sierra Leone... et en Belgique.

L'action d'AsF est toujours subsidiaire. Si un système *pro deo* existe, si les conditions d'une justice indépendante et impartiale sont respectées, si des avocats locaux ont la capacité d'assumer pleinement leur charge, l'action de l'association ne sera pas mise en œuvre.

Ainsi, dans le cas de la Belgique, AsF est intervenue pour

---

participe à universaliser le recours à la justice internationale à chaque fois que les juridictions nationales se rendront coupables de violations des droits de la personne qui s'imposent à elles.

1. Cette première mission avait abouti, outre à la libération du prévenu, à une large dénonciation des conditions de détention de prisonniers politiques, emprisonnés sans mandat d'arrêt, ou maintenus en détention malgré l'existence d'une loi d'amnistie aux conditions de laquelle ils répondaient. AsF a obtenu la libération de nombreux détenus.

défendre les intérêts de civils somaliens victimes de violence de la part de militaires belges [1], lesquels étaient poursuivis pour ces faits devant le Conseil de guerre de Bruxelles. Absents du territoire où la procédure se déroulait, les parties civiles étaient dans l'impossibilité, tant physique que financière, de recourir aux conseils d'un avocat [2].

AsF, qui a obtenu le statut d'observateur auprès de l'Organisation africaine des droits de l'homme et des peuples, s'est particulièrement investie dans des interventions judiciaires au Rwanda et au Burundi. Le projet « Justice pour tous au Rwanda », opérationnel depuis juin 1996, est le plus important de ceux développé par l'association.

Une mission AsF à Kigali gère l'envoi régulier d'avocats expatriés et assure la formation locale des futurs confrères [3]. Dans un pays où la « tradition de l'avocat » n'existe pas, au sein d'une population traumatisée et d'un personnel judiciaire rapidement formé, l'intervention de l'association n'était pas toujours souhaitée. Une formation au rôle de l'avocat, tant auprès du public que des futurs magistrats [4], ainsi qu'une aide et une pression constante pour obtenir la création d'un barreau local se sont révélés indispensables [5].

Outre sa participation directe aux procès, l'association mène un travail de lobbying réclamant l'amélioration des

1. Faits ayant eu lieu au cours de l'opération *Restore hope* en 1992.

2. À l'issue de ce procès, qui a prononcé l'acquittement des prévenus, *AsF* a estimé que les conditions d'un procès juste et équitable n'avaient pas été assurées et que, notamment, les démarches d'identification des victimes n'avaient pas été faites de manière satisfaisante. Refusant de servir de « bonne conscience », l'association a interjeté appel et diffusé un communiqué de presse dénonçant ces anomalies (*cf.* AsF, Bulletin n° 5, premier trimestre 1995).

3. À titre d'exemple, sur le premier semestre de 1999, AsF a assuré la défense de 1 346 personnes constituées parties civiles et de 1 490 prévenus (soit respectivement 48 et 52 %). Ces missions auront nécessité, toujours sur le même laps de temps, l'envoi de 48 avocats expatriés, constitués à 70 % d'Africains et à 30 % d'Européens. Ce projet dispose de moyens financiers propres (chiffres fournis par AsF, Rapport « Justice pour tous au Rwanda », premier semestre 1999).

4. En collaboration avec l'ONG Réseau des Citoyens.

5. Grâce à sa collaboration avec ce dernier, AsF prévoit de commencer son désengagement fin 2000.

conditions d'exercice de la justice. Ainsi, si elle fait part de ses espoirs face à l'augmentation du nombre de magistrats nommés et d'avocats inscrits au barreau, face aux progrès réalisés par les « magistrats assis » dans leur souci de rendre une justice équitable, et face à la diminution du nombre de condamnations à mort, elle déplore néanmoins maintes anomalies telles que la présence dans les prisons de 568 mineurs, non punissables selon les termes de la loi et âgés de moins de 14 ans au moment de leur arrestation, ou la carence généralisée de poursuites pour les crimes sexuels qui ont pourtant été, massivement et délibérément, organisés lors du génocide. En outre, elle dénonce le pourcentage excessif de remises dues à l'absentéisme de certains magistrats (38 % des causes de remises), le nombre important d'enquêtes menées exclusivement à charge, les cas de pressions et de menaces, parfois issues du Parquet, à l'encontre des témoins à décharge, les difficultés que semble parfois éprouver le Parquet à accepter les jugements en cas d'acquittement, les importantes entraves matérielles, financières et logistiques qui rendent excessivement difficile la constitution de partie civile dans le chef des victimes, l'absence actuelle d'un fonds d'indemnisation pour ces victimes, et l'influence néfaste des autorités qui critiquent l'exercice de la justice au lieu de le soutenir[1].

Convaincue du rôle incontournable de la justice et de l'importance de participer à l'amélioration de son exercice, AsF mène également un lobbying auprès des instances internationales. En juin 1995, elle a rédigé une lettre ouverte dénonçant les limitations de compétence qui grèvent l'efficacité du tribunal pénal international pour le Rwanda (TPIR) et qui sont injustifiées au regard du droit interna-

---

1. AsF demande instamment aux autorités rwandaises de remédier à l'actuelle incompréhension des magistrats de la chambre du Conseil du rôle qu'il leur incombe de jouer, c'est-à-dire celui de vérifier la légalité de la détention préventive qui concerne quelque 119 619 personnes. Elle refuse de continuer à y jouer le rôle de la défense, afin de ne pas cautionner cette juridiction en total échec (d'après AsF, Rapport « Justice pour tous au Rwanda », *op. cit.*).

tional. : « De nombreux éléments démontrent que les exactions perpétrées au Rwanda ont été orchestrées et planifiées à partir de 1987 [...]. Certains États ont autorisé la vente et le transit d'armes destinées au Rwanda au mépris de leurs engagements [...]. De graves malversations pouvant être assimilées à une complicité dans le génocide pourraient être reprochées à des sociétés ou à des groupes d'intérêts... directement impliqués dans le trafic d'armes [...]. Or, les statuts du TPIR contiennent au moins quatre limitations portant gravement atteinte à son efficacité [...]. La limitation de la compétence territoriale au territoire rwandais ou par des ressortissants rwandais sur les États voisins [...], la limitation dans le temps, à l'année 1994 [...], la limitation aux personnes physiques (à l'exclusion des personnes morales) [...] et la limitation pénale ne prévoyant qu'un seul type de sanction : l'emprisonnement... »[1]

Pour augmenter l'impact de cette lettre ouverte, l'association a créé l'*Arusha School on Criminal Law and Human Rights*, qui réunit, au cours de différentes sessions, des avocats africains et européens ainsi que des juristes de droit international de tous pays. L'*Arusha School* propose de modifier le règlement de procédure et de preuve du TPIR, afin de lui permettre de connaître des faits de complicité, que ceux-ci aient ou non eu lieu sur le territoire rwandais, par des ressortissants rwandais ou étrangers, et afin qu'il puisse sanctionner, par le recours à l'amende, tant les individus que les sociétés, organisations ou États qui seraient reconnus coupables. En outre, ce recours à l'amende permettrait la constitution d'un fonds de dommages et intérêts pouvant être attribués à des groupes de victimes constitués sous forme de *class claim*. Enfin, l'*Arusha School*, soulève la difficulté éthique découlant de l'existence de deux juridictions dont l'une, destinée à connaître des actes commis par les principaux responsables du génocide, ne connaît pas

---

1. AsF, lettre ouverte, juin 1995, extraits.

d'autres peines que l'emprisonnement, et dont l'autre inflige et exécute la peine de mort. Opposée à la peine de mort, elle dénonce l'existence de ce « double standard ». « Le tribunal est submergé de critiques de toutes parts. Très rares sont ceux qui, comme AsF, apportent une contribution constructive, dont nous avons pourtant besoin » confia Louise Arbour, alors procureur des deux TPI (Rwanda et ex-Yougoslavie), aux organisateurs de l'*Arusha School* en 1996[1].

Si 1959, 1963 et 1973 sont des dates repères des affrontements meurtriers qui ont précédé le génocide de 1994 au Rwanda, les années 1965, 1972 et 1988 précèdent pareillement la flambée de violence qui, depuis l'assassinat du président Melchior Ndadaye le 23 octobre 1993, ravage le Burundi. Melchior Ndadaye était le premier président arrivé au pouvoir de manière démocratique depuis l'indépendance du pays. La « crise politique » qui enflamme le pays depuis son assassinat a causé la mort de plusieurs centaines de milliers de civils[2], et le déplacement de centaines de milliers de réfugiés.

Contrairement à son voisin, le Burundi n'a pas établi de loi spéciale pour la répression du génocide. Seul le code pénal ordinaire est donc d'application. Depuis décembre 1998, AsF a développé un projet de soutien à l'exercice de la justice qui comporte l'apport d'une formation complémentaire aux confrères burundais ainsi que des interventions directes devant les chambres criminelles des cours d'appel.

---

1. La ville d'Arusha, en Tanzanie, a été choisie afin de permettre une collaboration active avec le TPIR qui y siège. Certains magistrats ont accepté d'animer des débats au sein de l'école, faisant part des difficultés rencontrées dans la mise en place de la justice internationale. Trois sessions ont eu lieu à ce jour sous l'égide d'AsF, dont la première s'est déroulée en décembre 1995. Ces sessions permettent également la formation d'avocats majoritairement africains aux réglementations juridiques internationales et à leur mise en œuvre dans le cadre de la protection des droits de l'homme.

2. L'armée serait la principale responsable de ces faits, selon les Nations unies, citées dans *L'État du Monde*, La Découverte, *op. cit.*

Parmi les objectifs prioritaires, l'association tente d'assurer la défense systématique des mineurs incarcérés, « qui peuvent passer plusieurs années, dans les mêmes quartiers que les autres détenus, sans être déférés devant un juge, et qui bien souvent ne connaissent pas les motifs exacts de leur incarcération » [1]. AsF dénonce également les conditions de détention des condamnés à mort. À Bujumbura fin 1999, ils étaient 250, entassés dans trois cellules de 60 m^2, et ne disposaient que de quinze minutes de sortie par jour. « Là où les Nations unies ont réduit leur mission à un strict minimum dans une situation de sécurité très précaire, la présence d'AsF reste un symbole de croyance qu'au Burundi également le respect pour le droit et pour les droits de l'homme ainsi qu'une justice indépendante sont les seules alternatives dans un cercle vicieux de guerres civiles et de génocides. » [2]

Hors du cadre des interventions individuelles ponctuelles, AsF est donc massivement présente en Afrique. D'autres projets d'interventions à long terme se développent également en Amérique latine [3] et en Europe.

Au Kosovo, « le système judiciaire au terme de ce conflit est à l'état de ruine... La politique de discrimination ethnique menée par la Serbie depuis 1989 a conduit à l'exclusion de tous les Yougoslaves d'origine albanaise de la fonction publique (y compris de la magistrature) et des universités [...] La fin du conflit et l'arrivée des soldats de la

---

1. AsF, Bulletin 1999/3.
2. Me Luc Walleym président AsF-Belgique, bulletin 1999/3.
3. Sollicitée par l'Organisation des populations indigènes de la Province du Paztaza (Opip), elle développe un projet en Équateur afin de fonder, sur le plan juridique, les demandes d'extension des terres octroyées aux peuples indigènes, de participer à la constitution d'un bureau de consultation et défense (système *pro deo*) et d'assurer la défense pénale des personnes poursuivies dans les procédures consécutives aux conflits avec les sociétés pétrolifères ou pharmaceutiques. Ce projet est mené conjointement par AsF-Belgique et AsF-France. En plus de la question de la possession des terres, se greffent des problèmes de nuisance et de pollution.

Kfor a provoqué l'exode des Yougoslaves d'origine serbe, qui ont fui la province par peur justifiée des représailles [...] À Prishtina, seuls trois avocats d'origine serbe ont décidé de ne pas fuir la province. Ils y exercent leur métier grâce à la protection de gardes du corps de l'Organisation pour la sécurité et la coopération en Europe (OSCE) [1] [...] La chambre des avocats du Kosovo n'est pas à proprement parler un barreau tel que nous le concevons, elle ne s'intéresse pas aux questions déontologiques, ne prend aucune mesure disciplinaire, le système *pro deo* n'existe pas, l'ensemble des avocats sont dans un état de dénuement matériel total. On dénombre plusieurs milliers de personnes disparues [...] L'armée serbe a emmené environ 1 900 Yougoslaves d'origine albanaise, qui ont été incarcérés en Serbie [...] En quittant la province, l'armée serbe a détruit les archives administratives... » [2]

La mise en marche d'un système judiciaire crédible, indispensable à la reconstruction d'une paix, ne semble pas possible sans l'apport d'une aide spécifique. AsF, qui a obtenu mandat des Nations unies, a signé une convention de partenariat avec la chambre des avocats du Kosovo afin de les aider à s'organiser en barreau moderne et, entre autres, à organiser un bureau de consultation et défense (*pro deo*) [3]. Par ailleurs, l'association devrait se charger d'organiser la prise en charge de la défense « des justiciables d'origine albanaise qui seront jugés en Serbie, des justiciables d'origine serbe qui seront jugés au Kosovo et enfin de tous les justiciables, tant au pénal qu'au civil, qui ne trouveraient pas,

---

1. Issue de la Conférence d'Helsinki en 1975, la CSCE a été remplacée en 1994 par l'OSCE. En 1997, elle comptait 54 membres, soit tous les pays européens – à l'exclusion de la Yougoslavie (Serbie-Monténégro) –, tous les États issus de l'ex-URSS, les États-Unis et le Canada. L'OSCE est chargée de l'application du Pacte de stabilité en Europe, qui avait été adopté en mars 1995.

2. Me Marc Libert, AsF, Bulletin 1999/3, *op. cit.*

3. L'administration internationale (UNMIK) a rendu applicable sur le territoire du Kosovo le pacte international relatif aux droits civils et politiques qui, dans son article 14, porte le droit pour toute personne présente dans un procès d'avoir un défenseur et de s'en voir attribuer un chaque fois qu'elle n'a pas les moyens de le rémunérer. Bernard Kouchner est l'actuel représentant spécial chargé de l'administration civile de la province du Kosovo.

dans la province du Kosovo, un avocat libre et indépendant susceptible de le défendre »[1]. La mise en œuvre de ce projet regroupe la participation de AsF-Belgique, AsF-Danemark et AsF-France, ainsi que la collaboration de l'OSCE, de l'*American Bar Association* et du *Norvegian Refugee Council*. AsF, qui rappelle son principe d'intervention subsidiaire, confiera à la chambre des avocats du Kosovo dossiers et matériels dès que celle-ci sera en mesure d'en assumer seule la charge.

Présente en tant qu'expert, à la Conférence diplomatique de Rome et à celle de New York, AsF, y a défendu le rôle des avocats et la place qu'il convient d'attribuer aux victimes devant la future cour pénale internationale.

À travers ces différentes missions, l'association, qui a assumé son rôle là où personne ne pouvait le faire, a participé à promouvoir la liberté de pensée, donc à condamner le principe du « délit d'opinion », à promouvoir le droit des victimes issues des groupes démunis à obtenir une réparation juridique de leurs droits bafoués, à promouvoir le droit de faire partie d'une association de défense des droits de l'homme, à promouvoir le droit d'être syndicaliste dans des pays qui le contestent, à promouvoir le droit des mineurs à une protection spécifique, à promouvoir le droit de la défense en tant que tel, à établir ou rétablir la confiance dans le système judiciaire et, partant, dans l'état de droit.

Ses actions démontrent, comme l'avaient fait les médecins avant elle, que l'action transfrontiériste concrète est non seulement possible, mais indispensable, que tous les domaines touchant aux droits fondamentaux de la personne sont concernés et que, par défaut, il revient aux ONG humanitaires de forcer les États à respecter ces droits.

AsF est légaliste. Elle demande le respect des textes auxquels les États ont librement adhéré.

---

1. Me Marc Libert, AsF, Bulletin 1999/3, *op. cit.*

VI

Échecs, menaces et défis
du mouvement humanitaire :
constats

L'humanitaire écran des oppressions

Plusieurs dangers guettent l'humanitaire, utilisant ses bonnes intentions comme autant d'armes aux mains des oppresseurs. Le premier des détournements du mouvement, sans doute le plus ancien, est le cloisonnement de l'action dans la charité, acceptant d'atténuer en silence les souffrances intolérables et participant ainsi, inconsciemment ou non, à en maintenir les tristes effets comme les insoutenables causes. Ce risque, dont l'Éthiopie de la famine planifiée par le colonel Mengistu servit de terre de révélation au mouvement humanitaire lui-même, a souvent été exploité.

En 1921, bien avant que le mouvement humanitaire n'ait atteint la dimension et les qualités qui le caractérisent actuellement, la famine, en tant qu'arme internationale, est mise à profit par Lénine.

À travers la région de la Volga, des millions de gens meurent de faim, certains ne survivant que par acte de cannibalisme. Cette crise, la plus grave du jeune régime, en menace la stabilité. Lénine, qui y voit l'opportunité d'obtenir la reconnaissance internationale et l'installation de relations diplomatiques et commerciales avec l'Occident, appelle à l'aide. Face à cette situation, un débat s'ouvre : doit-on intervenir et prendre le risque de conforter le régime soviétique ou laisser faire en espérant la faillite des dirigeants ? Fjord Nansen prend résolument position pour l'envoi d'une aide alimentaire, en interrogeant les membres du Haut Commissariat aux réfugiés de la SDN dont il fait partie : « En supposant que cela aide le gouvernement russe, un membre de cette assemblée serait-il prêt à dire que plutôt que d'aider le pouvoir soviétique, il laissera vingt millions de personnes mourir de faim ? »[1]

Ainsi, « au cours de la famine survenue en Ukraine à la fin de la guerre civile, le régime bolchévique utilise l'aide humanitaire comme instrument de négociation. Il exige le contrôle exclusif de la distribution de l'aide alimentaire destinée au peuple russe... et obtient *de facto* la reconnaissance internationale qui lui faisait défaut »[2]. Seule l'*American Relief Administration (ARA)*, association humanitaire dirigée par Herbert Hoover, refuse de soumettre son action aux desiderata de Lénine. Elle garde le plein contrôle de l'aide qu'elle apporte, s'assurant ainsi qu'elle ne profite pas à l'Armée rouge. Herbert Hoover, ministre du commerce, futur président américain, philanthrope et anticommuniste, obtient même, en condition de son action, la libération de prisonniers américains. Le détournement de l'aide alimentaire fournie par les autres ONG est principalement distribuée dans les centres ouvriers, soutien du régime soviétique, au détriment des paysans « réactionnaires ». En 1922, la Russie recommence à exporter des céréales alors qu'elle continue à bénéficier de l'aide alimentaire ! Cette précoce manipulation de la genèse d'un mouvement humanitaire pas encore réellement éclos réside dans le détournement de son action mais également dans l'exploitation opportuniste de l'aide comme d'un instrument de négociation, forçant la communauté

---

1. Fjord Nansen, cité par Alain Destexhe, *L'Humanitaire impossible*, op. cit.
2. Jean-Christophe Rufin, *L'Aventure humanitaire*, op. cit.

internationale à reconnaître au régime communiste la qualité d'interlocuteur qu'elle lui refusait.

Plus récemment, après l'Éthiopie et l'opération Turquoise, le Rwanda des camps de réfugiés de « l'après-génocide » illustre une autre forme des manipulations de l'humanitaire à grande et dramatique échelle.

La situation éthiopienne fut la manipulation planifiée du mouvement humanitaire par le gouvernement du pays aidé, diffusant sciemment des informations falsifiées, exposant les résultats de la famine et dissimulant les causes véritables. Elle reflète également la technique utilisée par Lénine, soixante années plus tôt, dans son exigence du contrôle de la gestion de l'aide reçue et dans son détournement. La position soutenue par le chanteur Bob Geldoff, est d'ailleurs assimilable à celle précédemment prise par Fjord Nansen.

L'opération Turquoise est un exemple de l'utilisation de la couverture humanitaire par le gouvernement « aidant », pour une action principalement politique, camouflant au grand public comme aux humanitaires eux-mêmes les éléments pouvant décrédibiliser son action.

Dans les camps de réfugiés de l'été 1994 aux frontières du Rwanda, c'est la méconnaissance des rapports de pouvoir et de peur présents à l'intérieur des camps, régulant la survie des réfugiés, qui permit l'utilisation de l'aide humanitaire, par ceux qui poussèrent la population hutue à s'enfuir après en avoir obligé la majeure partie à se transformer en assassins. « Les humanitaires ont été les complices involontaires d'un pouvoir criminel, qui s'est constitué dans les camps, où la nourriture et la logistique ont massivement profité aux génocidaires hutus. C'est même une des heures les plus sombres de l'action humanitaire. »[1]

À nouveau, l'humanitaire est méprisé pour ce qu'il est et utilisé pour ce qu'il représente par les forces en présence.

---

1. Rony Brauman, « Les militaires ne peuvent garder les camps », *Libération*, *op. cit.*

Les gouvernements des « pays démocratiques » y voient l'occasion de la manifestation publique de leur bonne volonté qui, même tardive, devrait encore être capable d'apaiser la stupeur de la communauté internationale découvrant et l'ampleur du génocide, et la passivité conjointe de l'Onu et des pays se réclamant « des droits de l'homme ». Les génocidaires, eux, trouvent dans les camps de réfugiés des bases arrière leur permettant de reconstituer leurs forces et de réaffirmer leur emprise sur la population. « Face à un génocide, il n'y a pas de réponse humanitaire. Brandir la bannière de l'humanitaire, en laissant entendre qu'elle est capable d'arrêter une machine de mort, c'est se livrer à une véritable imposture... On pourrait dire, non, ce n'est pas une catastrophe humanitaire mais bien un véritable cataclysme politique qu'on fait semblant de traiter avec des moyens humanitaires. Soyons clair : il s'agit d'une monstrueuse manipulation qui consiste à mettre en marche une population apeurée, épuisée, démunie. L'idée est simple, l'objectif parfaitement limpide. La débâcle militaire étant consommée, il convient de reconstituer dans les sanctuaires zaïrois des forces qui repartiront au combat. Et prolongeront évidemment cette épouvantable guerre civile. C'est là que les ONG, sans vraiment s'en rendre compte, se prêtent à un funeste jeu. Ont-elles pourtant d'autre choix que de se porter au secours de ces damnés de la terre ? Il faut que l'action humanitaire soit menée, amplifiée. Cela n'est pas douteux. Mais la véritable urgence est politique... Il faut neutraliser au plus vite cette capacité de nuisance et faire repasser les frontières à tous les réfugiés »[1], écrit Rony Brauman en juillet 1994.

En novembre 1994, la section française de MsF décide de se retirer des camps de réfugiés, dénonçant les troubles graves qui nuisent à son efficacité et grèvent son action de conséquences inacceptables. À l'intérieur des « camps », des

---

1. Rony Brauman, « Une monstrueuse manipulation », *L'Express, op. cit.*

« intellectuels » se disant porte-parole des paysans, tentent d'interdire toute communication directe entre les réfugiés vivant sous leur emprise et le personnel humanitaire présent. Ces « représentants » ne reculent devant rien pour effrayer les réfugiés, menaçant, frappant ou tuant afin de les dissuader de rentrer dans leurs villages, au Rwanda. Confronté à cet état de faits, Philippe Biberson (président de la section française de MsF), relève que l'administration gouvernant les camps avec une efficacité certaine est la reconstitution fidèle de celle qui a présidé au génocide, qu'elle pratique menaces, exactions, exécutions sommaires, manipulations des foules... Il constate la présence de forces armées sur les sites, ce qui représente une infraction aux conventions régissant le statut de réfugiés, souligne l'existence de camps d'entraînement ainsi que les détournements de l'aide... et conclut : « Travailler dans les camps est une nécessité pour la survie des personnes, mais c'est aussi conforter la logique qui les a créés, c'est renforcer en les isolant la peur et la haine. C'est alimenter, par la ségrégation totale qui y règne, l'idée de pureté ethnique... » [1]

Avant le génocide, Alain Destexhe écrivait, à l'image de la lettre que la baronne de Suttner envoya à Henri Dunant un siècle plus tôt : « Le doute s'est insinué dans les esprits : et si l'aide humanitaire n'était que l'accompagnement indispensable du processus de purification ethnique, en le rendant acceptable puisque l'on s'occupe des victimes ?... Aujourd'hui on feint donc de redécouvrir que, bien qu'issu en théorie d'un sentiment universel de compassion, l'humanitaire peut tuer. » [2]

Au Cambodge, ces manipulations, ce schéma, s'étaient là encore manifestés. Dès la mise en place de l'aide humanitaire, la situation avait échappé au contrôle des principaux

---

1. Philippe Biberson cité par Colette Braeckman, *Terreur africaine*, Fayard, 1996.
2. Alain Destexhe, *L'Humanitaire impossible*, *op. cit.*

fournisseurs. Le 7 janvier 1979, l'armée vietnamienne entre dans Phnom Penh, et y installe un gouvernement à sa dévotion. Les troupes des Khmers rouges entraînent de force dans leur fuite des milliers de civils sur les routes de l'exode. Otages, esclaves, boucliers humains, les survivants échouent massivement dans des camps de réfugiés aux frontières du Cambodge. Sur la base de ce qui est perçu dans ces camps, de l'état d'extrême dénuement et d'affaiblissement des réfugiés, les humanitaires acceptent pour vraie la famine annoncée par les nouvelles autorités du pays qui se présentent comme les libérateurs.

Pendant l'été 1979, alors que l'Unicef et le CICR tentent de trouver les termes d'un accord acceptable pour la mise en place de l'aide humanitaire avec le gouvernement de Phnom Penh, Oxfam, poussée par l'urgence de la famine qu'elle croit présente à l'intérieur du pays, rend caduque toute tentative de négociations. L'association décide en effet d'abandonner au gouvernement le total contrôle de l'aide alimentaire qu'elle s'apprête à apporter et s'engage, en outre, à ne rien distribuer aux populations sous contrôle des Khmers rouges qui occupent encore une partie du Cambodge. « Un tel accord inadmissible au regard des principes humanitaires revenait à accepter de n'être qu'une simple centrale d'achats gratuits pour un gouvernement d'occupation dans le besoin. »[1] Les ONG qui ne sont pas « contrôlables », celles qui n'acceptent pas d'abandonner la gestion de l'aide qu'elles apportent, comme c'est notamment le cas de MsF, sont exclues. À nouveau, Lénine apparaît comme une référence : un régime issu d'une invasion militaire qui n'avait en conséquence aucune chance de bénéficier d'une reconnaissance internationale obtient celle-ci grâce à l'aide humanitaire.

À la fin des années 80, les Khmers rouges, à leur tour, utilisent le mouvement humanitaire, préfigurant la situation

---

1. Alain Destexhe, *L'Humanitaire impossible, op. cit.*

rwandaise près de quinze ans plus tard. « En alimentant massivement les camps de réfugiés, les organisations humanitaires ont contribué directement à renforcer le pouvoir des combattants qui contrôlent ces camps... On a pendant dix ans nourri et soutenu les Khmers rouges qui disposaient d'un sanctuaire dans le camp de "réfugiés" du site VIII, à la frontière thaïlandaise, réfugiés qui étaient en fait leurs prisonniers »[1], prisonniers mis en marche de force par les Khmers rouges comme l'ont été les Rwandais Hutus par les Interhahamwes en 1994.

L'aide humanitaire a ainsi servi les intérêts du Viêt-nam pour ensuite jouer le jeu de ces opposants Khmers rouges ou thaïlandais, à chaque fois au détriment des civils censés être secourus.

Dans toutes ces situations, l'aide humanitaire fut détournée de son objectif, pour finalement surtout alimenter une économie de guerre ou protéger des belligérants. La Somalie en donne un autre exemple.

En Somalie, janvier 1991 marque la fin des 21 années de dictature du général Syiad Barré. La chute du régime laisse libre cours à l'anarchie et à la violence que font régner les seigneurs de la guerre et les bandes criminelles terrorisant la population. « La Somalie se suicide lentement mais avec conviction... Le pays fuit dans la destruction et la violence... Les écoles et les hôpitaux sont pillés, voire incendiés. »[2] Les populations se déplacent, la famine s'installe. La situation politique du pays rend l'action humanitaire extrêmement difficile. Attaquées, rançonnées, isolées, les ONG présentes[3] restent impuissantes face aux effets de la famine qui provoquent des ravages parmi les adultes et anéantit une génération d'enfants. Sans avoir de solution concrète à proposer

---

1. Jean-Christophe Rufin, *L'Aventure humanitaire, op. cit.*
2. Alain Desthexhe, *L'Humanitaire impossible, op. cit.*
3. Seules sont présentes le CICR et trois ONG : MsF, *Save the Children,* et SOS, organisation autrichienne.

face à l'extrême instabilité du pays, les Nations unies, après une longue inertie, décident une intervention de sécurisation militaire de l'aide humanitaire.

Sous l'œil par trop exalté des caméras, le cynisme des acharnés de l'ombre et la réalité en toile de fond des centaines de milliers de victimes pour lesquels il était déjà bien trop tard, l'opération *Restore Hope* débarque le 8 décembre 1992 sur une plage de Somalie. Elle dérive rapidement en une tragique incompréhension.

L'opération permet d'acheminer des vivres et de sauver des vies, mais son incapacité à désarmer les factions rivales et à imposer une solution qu'elle ne trouve pas, entraîne l'armée des « casques bleus » à devenir partie dans le conflit. À la suite de l'assassinat de ving-trois casques bleus pakistanais, les forces de l'Onu tirent sur la foule.

Les membres des associations humanitaires, qui ne parviennent pas à se démarquer des militaires venus au départ pour protéger leurs actions, sont, eux aussi, victimes de cette confusion. Après d'autres affrontements, entre 1994 et 1995, tous les casques bleus sont retirés de Somalie, laissant derrière eux des vivres et des victimes. Certains soldats seront amenés plus tard à comparaître devant les cours militaires de leurs pays respectifs, pour actes de violences sur la population civile somalienne qu'ils étaient venus secourir.

Le détournement de l'action humanitaire, sa prise en otage, la manipulation des ONG souvent faibles et isolées, les dérapages ou l'utilisation du mouvement humanitaire comme alibi d'une action ou d'une inaction politique par ailleurs injustifiable sont autant d'éléments menant à une question : le mouvement humanitaire est-il uniquement tenu à une obligation d'intention ou doit-il répondre d'une obligation de résultat ? Les bonnes intentions dont sont truffées les ONG de l'humanitaire et la gestion en « bon père de famille » de ses actions sont-elles des garantes suffisantes ou des causes d'excuses acceptables en cas de graves échecs ?

L'obligation de résultat, s'agissant d'une entreprise dont la presque totalité des paramètres échappent aux acteurs, est-elle plausible, simplement même envisageable ?

Ce que l'on pourrait cyniquement qualifier de « marge d'erreur » n'est pas plus acceptable comme inévitable fatalité qu'elle n'est une raison suffisante pour justifier l'abandon de l'action humanitaire.

Imposer une obligation de résultat au mouvement humanitaire c'est le paralyser, la maîtrise de tous les éléments en jeu étant impossible. Se contenter d'afficher des nobles intentions est pareillement insuffisant, pas même justifiable.

Les médecins de l'humanitaire, tels Bernard Kouchner et Rony Brauman, soutiennent que le mouvement humanitaire, à l'image du médecin luttant pour la survie de son malade, est tenu par une obligation d'intention, devant répondre de la bonne utilisation de tous les moyens à sa disposition pour obtenir la guérison.

À la différence pourtant du médecin qui ne peut agir que sur le corps du malade pour tenter de le soigner, l'action humanitaire n'est pas limitée de façon aussi restrictive. Si elle agit sur les effets directs les plus graves du dysfonctionnement, elle peut et doit aussi agir non seulement préventivement sur le « corps » mais aussi sur tous les facteurs annexes qui interviennent dans l'éclosion de la situation[1].

Une constante marque les drames les plus graves de notre histoire : leur prévisibilité. Cette réalité impose à l'action humanitaire de sortir des situations d'urgence dans lesquelles trop souvent elle se cloisonne pour utiliser, et exploiter au mieux de ses principes, l'intervention préventive.

Seule l'action à long terme peut lui permettre de sortir d'une obligation d'intention pas satisfaisante pour tendre et se rapprocher d'une obligation de résultat et s'en rapprocher, et ce ne peut qu'être là son objectif.

---

1. Doit faire partie de l'analyse commune des droits civils et politiques et des droits économiques et sociaux.

L'humanitaire « au long terme » :
quel avenir pour quels résultats ?

Poussée par le constat que, depuis que l'histoire du mouvement humanitaire s'écrit, les guerres en sont le tremplin, poussée par l'influence des médias et la nécessaire recherche de fonds, l'action humanitaire s'est largement engagée dans les situations d'urgence. Nombre d'associations développent des projets à long terme *a posteriori* de l'urgence, trop peu s'y investissent *a priori*. Pourtant, force est de constater que la majeure partie des événements qui secouent notre planète, et qui sont qualifiés de catastrophiques au vu de leurs conséquences humaines, sont prévisibles.

L'action humanitaire, dont le fondement est la défense des droits fondamentaux de la personne, est par essence appelée à participer à une action préventive qui tenterait d'endiguer leurs violations massives avant qu'elles ne se produisent.

Ballotté d'un endroit à l'autre de la planète, propulsé dans des situations toujours complexes et nécessitant une réponse urgente, le mouvement humanitaire est trop souvent manipulé, détourné à son insu de ses objectifs. Si l'éradication complète du risque n'est pas crédible, l'apport de connaissances que lui apporte un engagement « préventif » l'atténue largement.

L'action humanitaire n'est pas un acte « innocent ». Pour être crédible et justifiée, elle doit répondre de la prise de garanties maximales quant à l'utilisation de l'aide fournie, à la connaissance précise de la situation rencontrée, à l'évaluation réelle des risques et conséquences, directs ou annexes, de ses engagements, ainsi qu'à la mise en œuvre de tous les moyens à sa disposition. Cette position n'est pas sans risque. Ainsi, par exemple, pour l'avoir respectée, pour avoir refusé d'abandonner au gouvernement rwandais le contrôle et la gestion des stocks de médicaments et matériels médicaux importés par l'association, MsF-France a été expulsée du Rwanda en 1996, comme elle l'avait déjà tant de fois été d'autres pays.

L'action humanitaire est responsable de ses actes et doit en permanence prendre en compte les destinataires de l'aide comme acteurs de la chaîne humanitaire, comme interlocuteurs responsables.

Plus l'action humanitaire se diversifie dans l'espace et dans le temps, alliant prévention et interventions, plus elle sera efficace. Elle doit donc s'engager dans une lutte constante contre les politiques de xénophobie et de haine sociale, dans l'installation de structures sanitaires et médicales satisfaisantes, dans la formation et l'éducation des populations les plus vulnérables à la défense de leurs droits fondamentaux, dans la diffusion des connaissances élémentaires de survie économique, agricole, ou autre.

Ces actions de prévention peuvent non seulement supprimer certaines situations d'urgence mais aussi, en cas d'échec, en permettre une meilleure gestion. Ainsi, par exemple, permettre à une population d'accéder à la santé, à l'éducation, à la connaissance et au respect des libertés individuelles, de ses droits et de ses obligations fondamentales permet d'atténuer les risques qu'elle se trouve à la merci d'un gouvernement ou d'une guérilla qui voudrait instaurer la haine raciale ou sexiste en règle de société. Non seulement cette population sera moins réceptive aux arguments fallacieux, mais elle disposera en outre de plus d'instruments intellectuels, juridiques et économiques pour se défendre. *A contrario*, cette évidence est également mise en œuvre par les dictateurs ou les groupes terroristes avides de coups d'État qui établissent le massacre des intellectuels non « éducables » comme préalable incontournable à l'exercice de leur pouvoir. De Pol Pot aux *taliban*, de Mao à Pinochet, l'Histoire en est jalonnée.

Les associations humanitaires ont lentement intégré cette donnée qui se traduit par un investissement dans la formation, soit à temps plein, comme le font Écoles sans Frontières ou Aide médicale internationale, soit en y consacrant une part de plus en plus large de leurs projets, comme le fait Avocats sans Frontières.

Par l'article 16 de la Résolution 53/144 adoptée le 9 décembre 1998, l'Assemblée générale approuve la Résolution 1998/7 de la Commission des droits de l'homme des Nations unies qui traite de « la responsabilité des individus, groupes et organes de la société de promouvoir et protéger les droits de l'homme et les libertés fondamentales universellement reconnus ». Dans son article 16, la Résolution affirme que « les individus, organisations non gouvernementales et institutions compétentes ont un rôle important à jouer pour ce qui est de sensibiliser davantage le public aux questions relatives à tous les droits de l'homme et à toutes les libertés fondamentales, en particulier dans le cadre d'activités d'éducation, de formation et de recherche dans ces domaines, et ce en vue de renforcer notamment la compréhension, la tolérance, la paix et les relations amicales entre les nations ainsi qu'entre tous les groupes raciaux et religieux, en tenant compte de la diversité des sociétés et des communautés dans lesquelles ils mènent leur activité » (article 16). Ensuite, ce texte précise qu'il incombe aux États de « promouvoir et faciliter l'enseignement des droits de l'homme et des libertés fondamentales à tous les niveaux de l'enseignement et de s'assurer que tous ceux qui sont chargés de la formation des avocats, des responsables de l'application des lois, du personnel des forces armées et des agents de la fonction publique incluent dans leurs programmes de formation des éléments appropriés de l'enseignement des droits de l'homme » (article 15, A/Res/53/144, 9 décembre 1998).

En 1992, le secrétaire général des Nations unies, Boutros Boutros Ghali, désignant la misère économique, l'injustice sociale et l'oppression politique comme les grands responsables des conflits, déclara : « L'une des conditions auxquelles il faudra satisfaire réside dans le respect des droits de l'homme et tout particulièrement ceux des minorités, qu'elles soient ethniques, religieuses, sociales ou linguistiques... Améliorer la situation des minorités permet d'accroître la stabilité des États. »[1] Le 14 juin 1993, lors de la Conférence mondiale sur les droits de l'homme, le secrétaire général des Nations unies a affirmé que les droits de l'homme sont la quintessence des valeurs à travers lesquelles nous affirmons que nous constituons une seule et unique communauté humaine.

L'action humanitaire trouve sa définition au sein de ces déclarations qui semblent en donner les fondements et en circonscrire les défis. Cependant, toutes ces honorables intentions n'exemptent pas le mouvement humanitaire d'un certain nombre d'obligations. La tragédie du Rwanda en 1994 pourrait être le facteur révélateur du mouvement humanitaire actuel tel que le fut celle du Biafra de 1968 pour MsF. Les quatre principes de dénonciation, d'exigence de justice, d'universalisation et de transfrontiérisme doivent s'amplifier et s'enrichir de nouvelles évidences.

L'action humanitaire a des limites. Laisser les gouvernements, quels qu'ils soient, se servir d'elle comme alibi n'est pas acceptable. « Perçue comme une fin, l'action humanitaire est incontestable, utilisée comme un moyen, elle devient inacceptable. »[2]

L'action humanitaire doit donc, à tout moment, être consciente de ses capacités, proclamer où s'arrête son rôle dans chaque situation précise, appeler les responsables politiques locaux et internationaux à assumer leur responsabilité et être prête à partir quand elle se sait manipulée. « Il importe (par exemple) qu'elle distingue la famine de la malnutrition. La famine, rupture brutale des apports alimentaires, est, dans l'immense majorité des cas, une conséquence directe des crises politiques graves en Afrique... La faim fait partie intégrante de la panoplie militaire. Elle est arme de destruc-

---

1. Boutros Boutros Ghali, cité par Jean-Christophe Rufin, *L'Aventure humanitaire, op. cit.*
2. Rony Brauman, *L'Action humanitaire, op. cit.*

tion, instrument d'asservissement. »[1] Dans ce contexte, l'aide alimentaire qui serait apportée sans dénonciation, sans mise en cause réelle des pouvoirs responsables et des institutions internationales compétentes, agirait comme un soutien direct au dictateur en place, prolongeant la situation officiellement combattue.

L'association humanitaire, qui comprend qu'elle est la caution du barbarisme qu'elle combat, doit se retirer en alertant le public et les pouvoirs institutionnels ou politiques ayant un rôle à jouer sur la scène internationale. Elle doit se donner les moyens de son indépendance vis-à-vis de tout pouvoir ou de toutes formes de pression. La diffusion de l'information fait partie de ses armes. Si le recours à la presse est nécessaire, les contingences médiatiques ne peuvent pourtant pas décider de la matière, des actions qu'il vaut mieux ou non mener parce que plus rentables, parce que provoquant plus aisément le soutien moral du grand public. L'explosion de la prise en charge prioritaire de l'urgence des guerres ou des cataclysmes délaissant le travail de fond concernant les disparitions régulières, les pauvretés installées, les conditions de survie précaire attestent d'une situation qui trop souvent privilégie les politiques médiatiques de rentabilité.

En décidant de mettre ou non en lumière tel ou tel événement, les responsables des médias modifient de manière importante les enjeux pris en compte par les divers protagonistes de l'humanitaire. Ils influencent directement l'évolution des contributions financières apportées par le « grand public » et par les bailleurs de fonds institutionnels.

Le public est influencé par l'information qu'il reçoit d'un événement, les institutions politiques le sont par celles qu'elles peuvent en donner. Analysé au seul rapport « investissement/publicité », l'écho médiatique prend tout son poids. Ainsi, par exemple, fin juin 1999, prétextant que la

---

1. Rony Brauman, « Folie et droits de l'homme », *Les Cahiers de l'Express*, 7/07/1989.

situation du Kosovo a englouti la plupart de leurs « budgets humanitaires », les bailleurs de fonds impliqués dans les projets à long terme qu'Oxfam a développé au Sierra Leone, en font une drastique révision à la baisse. L'association dénonce cette situation qui abandonne une population aux conséquences d'une des plus cruelles guerres civiles de notre fin de siècle, mais qui, pour des raisons d'éloignement géographique et politique, ne se trouve pas sous le feu des médias. En témoigne le seul entrefilet que le journal *Libération* consacra, en juin 1999, à l'annonce de l'Unicef dénonçant la disparition de plus de 3 000 enfants dont 60 % de filles, âgés de 6 à 15 ans, enlevés par les rebelles du Front révolutionnaire uni pour leur servir de combattants ou d'esclaves sexuels [1].

Action contre la faim fustige également cette situation aux conséquences très lourdes : « Une tragédie chasse l'autre. Chaque nouveau conflit, chaque nouvelle catastrophe attire l'attention des médias pendant quelques jours ou quelques semaines. Puis l'actualité reprend le dessus. Pourtant, dans ces pays à nouveau plongés dans l'ombre, des enfants, des femmes, des hommes continuent de mourir, dans l'indifférence de la communauté internationale dont le regard s'est porté ailleurs. » Ainsi, notamment, l'association s'insurge contre le fait que fin 1999, « plus personne ne parle du Congo Brazzaville. (Or), en décembre 1998, près de 250 000 personnes ont fui les atrocités commises par les milices rivales et, pour la plupart, se sont réfugiées dans la préfecture du Pool. Dix mois plus tard, la violence fait toujours rage. Terrées dans les forêts, des centaines de milliers de personnes survivent à grand-peine. (Cette situation) a déjà entraîné la mort de milliers de réfugiés, les enfants naturellement sont les plus touchés. Face à une telle situation, le silence et la passivité des États ne peuvent que cautionner

---

1. « La recherche des enfants disparus de Sierra Leone », d'après AFP, *Libération*, 17/06/1999.

la poursuite des exactions dont les populations civiles sont les premières victimes. »[1]

Dès lors, les ONG humanitaires qui ont le devoir « de déchirer le voile de l'oubli que les médias jettent sur ces drames humains »[2] ont, de ce point vue, une part de responsabilité à assumer. Qu'elles soient en mal de reconnaissance ou de financement, elles se soumettent parfois trop spontanément aux choix médiatiques. « La télévision a créé une familiarité mondiale, cette habitude est nuisible à ceux qu'on ne découvre pas, ils n'existent pas... La colère moderne, la morale d'aujourd'hui viennent de l'œil : force et perversité des images. Nous reprocher à la fois de ne pas prolonger les interventions d'urgence et de mener ces missions au gré des sursauts de la conscience occidentale c'est négliger un élément très démocratique et républicain à la fois, le peuple de France décide en dernier ressort de l'utilisation de ses ressources humaines et de son argent »[3], écrit Bernard Kouchner. Cette situation n'est pas acceptable, car elle remet en cause le principe d'universalité revendiqué par le mouvement humanitaire dans son ensemble.

Afin de modifier cette situation, il est urgent que les associations humanitaires puissent développer leurs recherches de fonds institutionnels non plus par projet mais par objectifs associatifs, laissant ensuite à leur libre évaluation la répartition des budgets entre leurs divers secteurs d'interventions, comme c'est souvent le cas pour les financements privés.

L'argument de « souveraineté nationale » utilisée par le gouvernement russe afin d'éviter d'avoir à justifier le bombardement de la population civile tchéchène démontre que les États font souvent preuve d'un terrible manque de volonté et de cohésion pour défendre et imposer le respect

---

1. ACF, interventions, *op. cit.*
2. ACF, interventions, *op. cit.*
3. Bernard Kouchner, *Le Malheur des autres*, *op. cit.*

universel des principes que par ailleurs ils revendiquent. Cette situation renforce la nécessité du droit de regard dans les affaires internes des États, dont dispose l'action humanitaire. Elle doit en assumer le contrôle et la garantie. Elle se pose en contre-pouvoir international imposant le respect des droits fondamentaux et universels de la personne.

L'Assemblée générale des Nations unies confirme la légitimité de l'exercice de ce droit par la Résolution 53/144 qui évoque « le droit, individuellement ou en association avec d'autres, de soumettre aux organes et institutions de l'État, ainsi qu'aux organismes s'occupant des affaires publiques, des critiques et propositions touchant l'amélioration de leur fonctionnement, et de signaler tout aspect de leur travail qui risque d'entraver ou d'empêcher la promotion, la protection et la réalisation des droits de l'homme et des libertés fondamentales », ainsi que « le droit d'apprécier et d'évaluer le respect tant en droit qu'en pratique de tous les droits de l'homme et de toutes les libertés fondamentales... et d'appeler l'attention du public sur la question » [1].

L'inopposabilité de la souveraineté nationale à la mise en œuvre d'actions à but humanitaire est en outre décelable dans diverses autres résolutions des Nations unies. Ainsi, si la plupart des opérations de maintien de la paix ne se font qu'en accord avec le pays concerné, les résolutions instituant les missions de maintien de la paix en ex-Yougoslavie (Forpronu) ou en Haïti (Minuah), et qui avaient un mandat pour la protection des droits de l'homme, ne nécessitaient pas le consentement des États sur le territoire desquels elles devaient se dérouler. « Fondées sur le chapitre VII de la Charte, ces opérations sont coercitives et peuvent s'imposer par la force... Le volet "droits de l'homme" dans les opérations de maintien de la paix revêt deux aspects, à savoir d'une part la formation aux droits de l'homme qui peut être, selon les besoins, générale ou spécifique à certains secteurs tels

---

1. Articles 8 et 6, A/Res/53/144, *op. cit.*

que la police ou la justice[1], et, d'autre part, la surveillance du respect des droits de l'homme : la surveillance est soit générale, à l'échelle de tout le pays, soit spécifique à une institution, la plus fréquente étant la police. »[2]

Enfin, la création des deux tribunaux pénaux internationaux ayant compétence pour connaître des crimes les plus graves, le traité du 18 juillet 1999 mettant en place la future cour de justice internationale et l'application par certaines juridictions nationales du principe de « compétence universelle » dans le cas de poursuites contre des personnes suspectées d'actes de génocide ou de crimes contre l'humanité attestent d'une diminution des « domaines réservés » revendiqués par les souverainetés nationales au profit d'un transfrontiérisme établi par les plus hautes instances internationales.

Le recours au pouvoir des États, en tant qu'associé à une action humanitaire, peut être bénéfique, mais l'indépendance du droit d'initiative et l'existence de contestations réelles d'une politique prétendument humanitaire doivent en poser les garde-fous. « La responsabilité en la matière implique de s'intéresser non seulement à ce que font les gouvernements, mais aussi à ce qu'ils ne font pas pour promouvoir les droits humains et pour prévenir les violations de ces droits. »[3]

L'enquête, la dénonciation, le lobbying international,

---

1. La Monusil, mission d'observation des Nations unies en Sierra Leone, instituée par la Résolution 1181 du Conseil de sécurité du 13/07/1998 avait pour mission, entre autres, de « conseiller les responsables de la police locale... de la nécessité de faire respecter les normes internationalement acceptées de procédure de police dans les sociétés démocratiques ». La Minuhbh, mission pour la Bosnie-Herzégovine, instituée par la Résolution 1184 du Conseil de sécurité le 16/07/1998 avait dans son volet de formation aux droits de l'homme « la mise en place d'un programme de surveillance de l'appareil judiciaire ». Voir à ce sujet Amnesty International, *Les Droits humains, une arme pour la paix, op. cit.*

2. Julie Dutry, Amnesty International, *Les Droits humains, une arme pour la paix, op. cit.*

3. Amnesty International, *Les Droits humains, une arme pour la paix, op. cit.*

l'honnêteté, l'exigence de justice, que le domaine d'intervention soit médical, légal, éducatif, économique ou social, sont les valeurs inséparables d'un mouvement humanitaire qui se veut – et qui se doit d'être – efficace, honnête et crédible.

L'action humanitaire n'efface ni les égoïsmes individuels, ni les intérêts gouvernementaux. Depuis la chute du mur de Berlin, les réfugiés « ne votent plus avec leurs pieds », ils ont perdu ce symbole de liberté, la force de leurs témoignages, qui semblaient placer les pays d'accueils du côté des « bons » dénonçant les « mauvais », cette aura qui les protégeait.

Aujourd'hui, l'action humanitaire doit compter avec cette nouvelle réalité qui pousse les gouvernements à voter l'expulsion de réfugiés politiques pour préserver leurs intérêts économiques, qui pousse de larges parts de populations à la xénophobie ou à la peur de l'insécurité pour justifier la fermeture de leurs frontières, qui ébranle le principe même de droit d'asile, qui laisse des millions de victimes errer sur les routes de l'exode ou qui rejeta sans cesse à la dérive, témoin visuel de notre inhumanité, des milliers de *boat people*.

Il faut développer l'esprit de tolérance pour lutter contre la propagation des haines sectaires, il faut développer la force de l'intolérance contre l'indifférence aux barbaries dont sont victimes tous « les autres », quels qu'ils soient. La valeur de la tolérance s'arrête et s'inverse là où le silence devient coupable complicité, égoïste passivité.

« Il ne faut pas attendre d'avoir trouvé la solution pour les sauver tous, pour tenter d'en sauver un... Il faut s'occuper des hommes un par un, toujours aller sur le terrain... toute percée étant un espoir. »[1]

---

1. Bernard Kouchner, « Sauver les corps », paru dans *Les Cahiers de L'Express*, *op. cit.*

L'action humanitaire se doit d'agir conjointement dans divers domaines sociaux. La multiplicité des associations humanitaires existantes en offre la possibilité, le travail en réseau, tel que l'a développé l'OMCT en permet l'efficacité. Cela entraîne en outre une diminution des frais de fonctionnement, permettant de consacrer le maximum des ressources à la réalisation des objectifs essentiels. Le nombre de victimes peuplant notre planète justifie la prolifération des associations humanitaires qui devraient toujours travailler en complémentarité. En 1994, un code de conduite a été élaboré par la Fédération internationale de la Croix-Rouge et du Croissant-Rouge qui, entre autres, veille à éviter une concurrence choquante ou une perte d'efficacité par inadéquation des actions. Ce code a été accepté par une centaine d'organisations humanitaires. Ce principe doit être développé pour préserver à la fois l'efficacité mais aussi la dignité de l'action humanitaire

L'action humanitaire est légitime, « infiniment utile et dérisoire »[1]. Le prix Nobel de la Paix décerné le 15 octobre 1999 à MsF confirme, à travers cette association pionnière, cette légitimité : le président français Jacques Chirac, interviewé à cette occasion, parle de « ces gens qui incarnent les progrès de la conscience universelle... », et Bernard Kouchner du « triomphe de l'idée de fraternité »[2].

L'action humanitaire rappelle qu'il existe une unité reliant tous les hommes entre eux, les reliant par l'universalité de leur valeur interne. Quelle que soit la distance, quel que soit la culture, quels que soient le sexe, l'âge ou la race, la valeur de la vie, le respect de la personne humaine et de ses droits fondamentaux sont supérieurs à tout autre considérant. Seul l'exercice de la justice, dans le cadre des garanties définies par les nations démocratiques respectant les principes de la Déclaration universelle des droits de l'homme, peut légi-

---

1. Bernard Kouchner, *Le Malheur des autres, op. cit.*
2. Journal télévisé, France 2, 15/10/1999.

timement, lors de procès équitable, réduire les libertés individuelles. L'idée d'humanité et la mise en avant de la fraternité qu'elle impose sont les fondements du mouvement humanitaire, la justification de son transfrontiérisme comme de son universalisme.

L'action humanitaire va naturellement au-delà de la notion d'ingérence qu'elle-même revendique. Ce terme, volontairement conçu comme une provocation face aux souverainetés nationales, porte en lui une limitation contraire à son principe même.

Il ne s'agit pas de se mêler des affaires des autres, de ce qui serait censé ne pas nous regarder, de reconnaître que sans cette « ingérence » les faits en question pourraient ne relever que des États mais d'affirmer au contraire que les « droits fondamentaux de la personne » par nature concernent tout le monde. « Les individus, groupes, institutions et organisations non gouvernementales ont un rôle important à jouer et une responsabilité à assumer en ce qui concerne la sauvegarde de la démocratie, la promotion des droits de l'homme et des libertés fondamentales ainsi que la promotion et le progrès de sociétés, institutions et processus démocratiques. »[1]

Oui, il s'agit bien de proclamer qu'il existe un « droit d'humanité », un devoir de solidarité conçu comme un droit universel, supranational et inaliénable, que ce droit est acquis à toute personne en tant que membre d'une humanité consciente d'elle-même, de sa valeur et du combat qu'elle se doit de mener pour préserver ou imposer cette valeur, condition incontournable pour se revendiquer « d'humanité ».

Ce droit peut fonder sa justification légale dans le droit naturel à un niveau international. Partout et depuis toujours des hommes secourant d'autres hommes, quels qu'ils soient, d'où qu'ils soient, ont discrètement marqué notre sanglante histoire humaine de leur élan naturel, solidaire, volontaire

---

1. Article 18, A/Res/53/144, *op. cit.*

et courageux. Qu'ils y aient été poussés par leur religion ou non, envers des inconnus ou non, pour valoriser une image d'eux-mêmes ou par pure philanthropie, qu'ils aient été isolés dans leurs actions ou non, n'enlève pas l'existence de cet acte. Ce geste ancestral a légalement abouti dans un certain nombre de pays au devoir d'assistance à personne en danger. Il a fondé nombre de résolutions et de déclarations faites par les plus hautes instances internationales. Le fait qu'il n'ait pas été codifié dans d'autres ne retire pas la réalité concrète de son existence. Aucune nationalité, aucune frontière ne justifie qu'il soit aujourd'hui encerclé, réduit à des limites contre nature.

L'État, le droit sont des notions, des valeurs créées par l'homme pour aider l'homme à mieux vivre en société. C'est à l'homme qu'il appartient d'adapter ces institutions, ces textes à ses aspirations fondamentales pour le mieux-être de l'un dans l'autre. Partant de ce constat, il est absurde de prétendre qu'une pratique humaine, présente à travers la plupart des civilisations, n'existe pas ou n'a pas droit à la reconnaissance de son existence sous le prétexte qu'elle n'est pas codifiée.

Le « droit d'humanité » existe. Les humanitaires, organisés en associations, manifestant leurs revendications à un niveau politique, ont le mérite de l'avoir porté dans l'espace décisionnel du droit international, le devoir de solidarité y justifie son combat.

L'an 2000 a été déclaré, par l'Assemblée générale des Nations unies « Année internationale de la culture et de la paix ». Chaque individu porte une parcelle de responsabilité dans la mise en œuvre de cette déclaration.

Il est urgent d'exiger que l'action humanitaire aille au-delà d'une dernière dignité accordée à l'homme au nom du premier de ses droits.

Annexes

DÉCLARATION UNIVERSELLE DES DROITS DE L'HOMME (1948)

Article 1
Tous les êtres humains naissent libres et égaux en dignité et en droits. Ils sont doués de raison et de conscience et doivent agir les uns envers les autres dans un esprit de fraternité.

Article 2
Chacun peut se prévaloir de tous les droits et de toutes les libertés proclamés dans la présente déclaration, sans distinction aucune, notamment de race, de couleur, de sexe, de langue, de religion, d'opinion politique ou de toute autre opinion, d'origine nationale ou sociale, de fortune, de naissance ou de toute autre situation.
De plus, il ne sera fait aucune distinction fondée sur le statut politique, juridique ou international du pays ou du territoire dont une personne est ressortissante, que ce pays ou ce territoire soit indépendant, sous tutelle, non autonome ou soumis à une limitation quelconque de souveraineté.

Article 3
Tout individu a droit à la vie, à la liberté et à la sûreté de sa personne

Article 4
Nul ne sera tenu en esclavage ni en servitude ; l'esclavage et la traite des esclaves sont interdits sous toutes leurs formes.

Article 5
Nul ne sera soumis à la torture, ni à des peines ou traitement cruels, inhumains ou dégradants.

Article 6
Chacun a le droit à la reconnaissance en tous lieux de sa personnalité juridique.

Article 7
Tous sont égaux devant la loi et ont droit sans distinction à une égale protection de la loi. Tous ont droit à une protection égale contre toutes discriminations qui violeraient la présente déclaration et contre toute provocation à une telle discrimination.

Article 8
Toute personne a droit à un recours effectif devant les juridictions nationales compétentes contre les actes violant les droits fondamentaux qui lui sont reconnus par la constitution ou par la loi.

Article 9
Nul ne peut être arbitrairement arrêté, détenu ou exilé.

Article 10
Toute personne a droit, en pleine égalité, à ce que sa cause soit entendue équitablement et publiquement par un tribunal indépendant et impartial, qui décidera, soit de ses droits et obligations, soit du bien-fondé de toute accu-

sation en matière pénale dirigée contre elle.

Article 11

1) Toute personne accusée d'un acte délictueux est présumée innocente jusqu'à ce que sa culpabilité ait été légalement établie au cours d'un procès public où toutes les garanties nécessaires à sa défense lui auront été assurées.

2) Nul ne sera condamné pour des actions ou omissions qui, au moment où elles ont été commises, ne constituaient pas un acte délictueux d'après le droit national ou international. De même, il ne sera infligé aucune peine plus forte que celle qui était applicable au moment où l'acte délictueux a été commis.

Article 12

Nul ne sera l'objet d'immixtions arbitraires dans sa vie privée, sa famille, son domicile ou sa correspondance, ni d'atteintes à son honneur et à sa réputation.

Toute personne a droit à la protection de la loi contre de telles immixtions ou de telles atteintes.

Article 13

1) Toute personne a le droit de circuler librement et de choisir sa résidence à l'interieur d'un État.

2) Toute personne a le droit de quitter tout pays, y compris le sien, et de revenir dans son pays.

Article 14

1) Devant la persécution, toute personne a le droit de chercher asile et de bénéficier de l'asile en d'autres pays.

2) Ce droit ne peut être invoqué dans le cas de poursuites réellement fondées sur un crime de droit commun ou sur des agissements contraires aux buts et aux principes des Nations unies.

Article 15

1) Tout individu a droit à une nationalité.

2) Nul ne peut être arbitrairement privé de sa nationalité, ni du droit de changer de nationalité.

Article 16

1) À partir de l'âge nubile, l'homme et la femme, sans aucune restriction quant à la race, la nationalité ou la religion, ont le droit de se marier et de fonder une famille. Ils ont des droits égaux au regard du mariage, durant le mariage et lors de sa dissolution.

2) Le mariage ne peut être conclu qu'avec le libre et plein consentement des futurs époux.

3) La famille est l'élément naturel et fondamental de la société et a droit à la protection de la société et de l'État.

Article 17

1) Toute personne, aussi bien seule qu'en collectivité, a droit à la propriété.

2) Nul ne peut être arbitrairement privé de sa propriété.

Article 18

Toute personne a droit à la liberté de pensée de conscience et de religion ; ce droit implique la liberté de manifester sa religion ou sa conviction seule ou en commun, tant en public qu'en privé, par l'enseignement, les pratiques, le culte et l'accomplissement des rites.

Article 19

Tout individu a droit à la liberté d'opinion et d'expression, ce qui implique le droit de ne pas être inquiété pour ses opinions et celui de chercher, de recevoir et de répandre, sans considérations de frontières, les informations et les idées par quelque moyen d'expression que ce soit.

Article 20

1) Toute personne a droit à la liberté de réunion et d'association pacifiques.

2) Nul ne peut être obligé de faire partie d'une association.

Article 21

1) Toute personne a le droit de prendre part à la direction des affaires publiques de son pays, par l'intermédiaire de représentants librement choisis.

2) Toute personne a droit à accéder,

dans des conditions d'égalité, aux fonctions publiques de son pays.

3) La volonté du peuple est le fondement de l'autorité des pouvoirs publics ; cette volonté doit s'exprimer par des élections honnêtes qui doivent avoir lieu périodiquement, au suffrage universel égal et au vote secret ou suivant une procédure équivalente assurant la liberté du vote.

Article 22

Toute personne, en tant que membre de la société, a droit à la sécurité sociale ; elle est fondée à obtenir la satisfaction des droits économiques, sociaux et culturels indispensables à sa dignité et au libre développement de sa personnalité, grâce à l'effort national et à la coopération internationale, compte tenu de l'organisation et des ressources de chaque pays.

Article 23

1) Toute personne a droit au travail, au libre choix de son travail, à des conditions équitables et satisfaisantes de travail et à la protection contre le chômage.

2) Tous ont droit, sans aucune discrimination, à un salaire égal pour un travail égal.

3) Quiconque travaille a droit à une rémunération équitable et satisfaisante lui assurant ainsi qu'à sa famille une existence conforme à la dignité humaine et complétée, s'il y a lieu, par tous autres moyens de protection sociale.

4) Toute personne a le droit de fonder avec d'autres des syndicats et de s'affilier à des syndicats pour la défense de ses intérêts.

Article 24

Toute personne a droit au repos et aux loisirs et notamment à une limitation raisonnable de la durée du travail et à des congés payés périodiques.

Article 25

1) Toute personne a droit à un niveau de vie suffisant pour assurer sa santé, son bien-être et ceux de sa famille, notamment pour l'alimentation, l'habillement, le logement, les soins médicaux ainsi que pour les services sociaux nécessaires ; elle a droit à la sécurité en cas de chômage, de maladie, d'invalidité, de veuvage, de vieillesse ou dans les autres cas de perte de ses moyens de subsistance par suite de circonstances indépendantes de sa volonté.

2) La maternité et l'enfance ont droit à une assistance spéciales. Tous les enfants, qu'ils soit nés dans le mariage ou hors mariage, jouissent de la même protection sociale.

Article 26

Toute personne a droit à l'éducation. L'éducation doit être gratuite, au moins en ce qui concerne l'éducation élémentaire qui est obligatoire. L'enseignement technique et professionnel doit être généralisé ; l'accès aux études supérieures doit être ouvert en pleine égalité à tous en fonction de leur mérite.

L'éducation doit viser au plein épanouissement de la personne humaine et au renforcement du respect des droits de l'homme et des libertés fondamentales. Elle doit favoriser la compréhension, la tolérance et l'amitié entre toutes les nations et les groupes raciaux ou religieux, ainsi que le développement des activités des Nations unies pour le maintien de la paix.

Les parents ont priorité, le droit de choisir le genre d'éducation à donner à leurs enfants.

Article 27

1) Toute personne a le droit de prendre part librement à la vie culturelle de la communauté, de jouir des arts et de participer aux progrès scientifiques et aux bienfaits qui en résultent.

2) Chacun a le droit à la protection des intérêts moraux et matériels découlant de toute production scientifique, littéraire ou artistique dont il est l'auteur.

Article 28

Toute personne a le droit à ce qu'il règne, sur le plan social et sur le plan international, un ordre tel que les droits et libertés énoncés dans la présente déclaration puissent y trouver plein effet.

Article 29

1) L'individu a des devoirs envers la communauté dans laquelle seul le libre et plein développement de sa personnalité est possible.

2) Dans l'exercice de ses droits et dans la jouissance de ses libertés, chacun n'est soumis qu'aux limitations établies par la loi exclusivement en vue d'assurer la reconnaissance et le respect des droits et libertés d'autrui et afin de satisfaire aux justes exigences de la morale, de l'ordre public et du bien-être général dans une société démocratique.

3) Ces droits et libertés ne pourront en aucun cas s'exercer contrairement aux buts et aux principes des Nations unies.

Article 30

Aucune disposition de la présente déclaration ne peut être interprétée comme impliquant pour un État, un groupement ou un individu un droit quelconque de se livrer à une activité ou d'accomplir un acte visant à la destruction des droits et libertés qui y sont énoncés.

ORGANISATION MONDIALE D'AVOCATS SANS FRONTIÈRES (1998)

STATUTS

1. Dénomination, siège

Article 1er

Il est constitué une association internationale à but philanthropique, scientifique et pédagogique dénommée « AsF World ».

Elle peut de plus utiliser d'autres dénominations dont « Organisation mondiale Avocats sans Frontières », « World Organisation Attorneys without Borders », « Werldorganisatie Advocaten zonder Grenzen », « Weltorganisation Anwälten ohne Grenzen », « Organizacion Mundial Abogados sin Fronteras » [autres langues de l'Union européenne]. Cette association est régie par la loi belge du 25 octobre 1919, modifiée par la loi du 6 décembre 1954 et par les présents statuts.

Article 2

Le siège de l'association est établi dans une commune de l'agglomération bruxelloise. Il est actuellement fixé à la maison AsF, 91, rue de l'Enseignement à 1000 Bruxelles. Le siège peut être transféré en tout autre lieu de cette agglomération par simple décision du conseil d'administration publiée dans le mois de sa date aux Annexes au Moniteur belge. L'anglais est la langue de travail de l'association dans ses rapports avec les membres.

2. Objet

Article 3

L'association qui est dénuée de tout esprit de lucre, a pour objet de contribuer à l'application effective des droits de l'homme universellement reconnus et conformément à la motion du 24 janvier 1992 votée à Bruxelles par la Conférence internationale des Barreaux de traditions juridiques communes :

de développer et de coordonner l'activité des diverses organisations nationales d'Avocats sans Frontières ;

de mettre en place tout mécanisme visant à faciliter le règlement des éventuels différends entre les organisations nationales d'Avocats sans Frontières ;

de réunir, sans discrimination et sans exclusion, tous les avocats désirant apporter leur assistance scientifique, éducative et juridique dans les situations

où notamment le droit à un procès équitable est violé, risque de l'être ou doit être affirmé ;
de mobiliser tous les moyens professionnels et matériels, et toutes les expertises propres à permettre à ses membres de remplir leur mission dans toutes les parties du monde où ils peuvent être appelés à servir ;
d'accomplir sans préjudice du caractère scientifique et pédagogique de l'association tous actes et opérations nécessaires ou utiles à la réalisation des points ci-dessus et notamment toute démarche de formation d'avocats ou de tiers et de promotion de sa philosophie ;
de rédiger tout document obligatoire à l'égard des membres et de veiller à leur correcte et stricte application et notamment un règlement d'ordre intérieur ;
l'association peut, dans le respect des lois en vigueur, collecter et gérer des capitaux, ainsi qu'organiser des collectes de fonds en vue de réalisation des activités visées par son objet social.

3. Durée

Article 4

L'association est constituée ce jour pour une durée illimitée. En cas de dissolution par décision de l'Assemblée générale ou pour toutes autres causes, les actifs de l'association seront cédés, à titre gratuit, à d'autres associations sans but lucratif, désignées par l'Assemblée générale, poursuivant un objectif similaire.

4. Membres de l'association

Article 5

L'association se compose de personnes juridiques légalement constituées suivant les lois et usages de leur pays d'origine.
L'association est constituée de 2 types de membres : effectifs ou adhérents.

Art. 5.1 Membres effectifs

Les membres effectifs sont les associations nationales d'Avocats sans Frontières.

Seuls les membres effectifs jouissent de la plénitude des droits accordés aux associés par la loi et les présents statuts.

Leur nombre minimum est fixé à 3. Les premiers membres effectifs sont les fondateurs de l'association.
L'admission par les conseils d'administration de nouveaux membres effectifs est subordonnée aux conditions suivantes :
– la candidature d'une association disposant d'une personnalité juridique, candidate pour assumer la mission d'Avocats sans Frontières, dans son propre pays ;
– acceptation par le postulant de la Charte d'Avocats sans Frontières ;
– signature du postulant de la Convention de licence avec Avocats sans Frontières – Belgique ;
– acceptation par le postulant des procédures d'intervention d'Avocats sans Frontières (vade mecum) ;
– paiement de la cotisation annuelle ;
le postulant devra réserver deux sièges d'administrateurs en son sein à l'association AsF Belgique ;
Le postulant s'engage à respecter le règlement d'ordre intérieur et tout document obligatoire émis par la présente.
Chaque membre est compétent pour désigner les personnes qui le représenteront au sein de la présent AISBL.
Toute personne désirant être membre effectif adresse une demande écrite au président du conseil d'administration.
La candidature est présentée au prochain conseil d'administration, qui décide à la majorité simple, la voix du président étant prépondérante en cas d'égalité, de l'admission ou du rejet de la candidature.

Art. 5.2 Membres adhérents

Ont la qualité de membres adhérents, toute personne juridique, nationale ou internationale, à jour de cotisation, admise à ce titre par le conseil d'administration.
Chaque membre est compétent pour désigner, le cas échéant, les personnes

qui le représenteront au sein de l'association.

Les membres adhérents ne disposent toutefois que d'une voix consultative.

Toute personne qui désire être membre adhérents doit adresser une demande écrite au président du conseil d'administration.

La candidature est présentée au prochain conseil d'administration qui décide de la majorité simple de l'admission ou du rejet de la candidature, la voix du président étant prépondérante en cas d'égalité.

L'admission des candidatures se fera en tenant compte de la capacité de l'engagement du postulant de promouvoir l'association et à se conformer aux différentes dispositions rendues obligatoires par l'association pour ses membres.

Art.5.3 Obligations

Les membres s'engagent à apporter à l'association toute leur collaboration et l'appui nécessaire à son développement et à la poursuite de son objet.

Ils s'engagent à ne poser aucun acte qui pourra entacher son honneur et la réputation de l'association ou entraver la réalisation de son objet social.

Les membres respectent les présents statuts, le règlement d'ordre intérieur, ainsi que toute disposition obligatoire, de même que les décisions des organes de l'association.

Les membres paient une cotisation, fixée annuellement en euros pour la catégorie à laquelle ils appartiennent.

Art.5.4 Retrait-Exclusion

Tout membre effectif ou adhérent, désireux de se retirer de l'association, devra notifier son retrait moyennant un préavis, de trois mois au moins, adressé au conseil d'administration.

La cotisation reste acquise à l'association pour l'année entière durant laquelle le membre cesse d'avoir cette qualité.

L'exclusion de membres de l'association peut être proposée par le conseil d'administration, après avoir entendu les arguments du membre en question

et être prononcée par l'assemblée générale à la majorité de deux tiers des voix des membres effectifs présents ou représentés.

Le conseil d'administration peut, dans l'attente de la décision de l'Assemblée générale, prononcer à la majorité simple une mesure immédiate de suspension.

L'Assemblée générale peut prendre, en outre, toute mesure adéquate quant aux modalités pratiques et financières que cette exclusion peut impliquer.

Le membre et ses ayants droit, quelle que soit sa qualification, qui cesse par dissolution ou autrement, de faire partie de l'association, sont sans droit sur l'avoir social.

Il ne peut réclamer, requérir, relever ni la reddition de compte, ni l'apposition de scellé, ni inventaire, ni le remboursement des cotisations versées.

5. L'Assemblée générale

Article 6

L'Assemblée générale possède la plénitude des pouvoirs permettant la réalisation de l'objet de l'association.

Elle se compose de tous les membres effectifs (les membres adhérents peuvent y assister par voix consultative).

Sont notamment réservés à sa compétence les points suivants :

- approbation des budgets et comptes ;
- élection et révocation des administrateurs ;
- modification des statuts ;
- dissolution de l'association.

Les décisions de l'Assemblée générale sont obligatoires pour tous les membres.

Article 7

L'Assemblée générale se réunit de plein droit au moins une fois par an au siège social ou à l'endroit indiqué par la convocation. Celle-ci est faite au bureau du Conseil d'administration.

Elle est envoyée au moins trente jours avant l'assemblée à tous les membres effectifs et adhérents et contient l'ordre du jour. Une assemblée générale extraordinaire pourra, en outre, être convoquée par le bureau du conseil quand il y a urgence.

Article 8
Les membres effectifs se feront représenter à l'Assemblée générale par un ou plusieurs représentants.

Chaque membre ne dispose que d'une seule voix.

L'Assemblée générale délibère valablement si trois des membres effectifs sont présents.

Article 9
Sauf dans les cas exceptionnels prévus par les présents statuts, les résolutions seront prises à la simple majorité des membres effectifs présents et elles sont portées à la connaissance de tous les membres. Uniquement les membres effectifs en règle de cotisation ont un droit de vote.

Il ne peut être statué sur tout objet qui n'est pas porté à l'ordre du jour.

Les résolutions de l'Assemblée générale sont consignées dans un registre signé par le bureau du Conseil d'administration, conservé par lui et qui le tiendra à la disposition des membres.

6. Modifications aux statuts

Article 10
Sans préjudice de l'article 5 de la loi du 25 octobre 1919, toute proposition ayant pour objet une modification aux statuts ou à la dissolution de l'association doit émaner du Conseil d'administration ou d'au moins trois des membres effectifs.

Le Conseil d'administration doit porter à la connaissance des membres effectifs de l'association au moins deux mois à l'avance la date de l'Assemblée générale qui statuera sur ladite proposition.

Cette assemblée générale ne peut valablement délibérer que si elle réunit les deux tiers des membres effectifs.

Aucune décision ne sera acquise si elle n'est votée à la majorité des deux tiers des voix.

Toutefois si cette assemblée générale ne réunit pas les deux tiers des membres effectifs, une nouvelle assemblée générale sera convoquée selon les modalités prévues à l'article 8, qui statuera définitivement et valablement sur la proposition en cause quel que soit le nombre des membres présents.

Les modifications aux statuts n'auront effet qu'après approbation par arrêté royal et qu'après que les conditions de publicité, requises par l'article 3 de la loi du 25 octobre 1919, auront été remplies.

L'Assemblée générale fixera le mode de dissolution et de liquidation de l'association.

7. Administration

Article 11
L'association est administrée par un Conseil composé au minimum de trois et au maximum de neuf membres ; un administrateur au moins doit être de nationalité belge.

Les administrateurs sont nommés par l'Assemblée générale pour une période d'un an renouvelable parmi les représentants des membres effectifs.

Les administrateurs peuvent être révoqués par l'Assemblée générale statuant à la majorité des deux tiers des membres effectifs présents.

Article 12
Le Conseil élit en son sein un président, un secrétaire et un trésorier et éventuellement un ou plusieurs vice-présidents. Ces personnes constituent le bureau du Conseil.

Article 13
Le Conseil se réunit au moins trois fois par an au siège et sur convocation spéciale du président du Conseil.

Un administrateur peut se faire représenter par un autre administrateur qui ne peut cependant être porteur de plus de deux procurations.

Le Conseil ne peut valablement délibérer que si trois au moins de ses membres sont présents ou représentés.

Article 14

Le Conseil a tous les pouvoirs de gestion et d'administration sous réserve des attributions de l'Assemblée générale. Il peut déléguer la gestion journalière à son président, à un administrateur, à un préposé ou à un comité exécutif. Il peut, en outre, conférer sous sa responsabilité des pouvoirs spéciaux et déterminés à une ou plusieurs personnes dont notamment des chargés de mission.

Le Conseil d'administration rédige, le cas échéant, le règlement d'ordre intérieur, et rédige également toute disposition obligatoire pour les membres en vue de la réalisation de l'objet social, fixe les cotisations.

Article 15

Les résolutions du Conseil d'administration sont prises à la majorité des administrateurs présents et représentés. En cas de partage des voix, celle du président est prépondérante.

Les résolutions sont consignées dans un registre signées par le bureau du Conseil et conservé par lui ; il sera tenu à disposition des membres effectifs de l'association.

Article 16

Tous les actes qui engagent l'association sont, sauf procuration spéciale, signés par deux administrateurs dont le président, qui n'auront pas à justifier envers les tiers des pouvoirs conférés à cette fin.

Ladite procuration spéciale devra, quant à elle être signée par trois administrateurs, dont le président.

8. Budget et compte

Article 18

Les ressources de l'association se composent de cotisations annuelles versées par les membres, les donations et subventions que la loi permet de recevoir des revenus de ses biens ou valeurs, des produits de ses travaux et de leur diffusion par tout moyen, ainsi que les sponsors de l'association.

L'exercice social est clôturé le 31 décembre de chaque année. Le premier exercice sera clôturé le 31 décembre 2000. Le conseil d'administration est tenu de soumettre à l'approbation de l'Assemblée générale le compte de l'exercice écoulé et le budget de l'exercice suivant, tous deux établis en euros. L'Assemblée générale peut décider la constitution de fonds de réserve, en fixer le montant et les modalités de la contributions à ce fonds due par chaque membre.

Article 20

Tout ce qui n'est pas prévu par les présents statuts et notamment les publications à faire aux *Annexes au Moniteur belge*, sera réglé conformément aux dispositions de la loi belge.

Bibliographie

Livres cités en référence

Amnesty International, *Amériques, les droits bafoués des populations indigènes*, Éditions francophones, 1992.

Amnesty International, *Les Droits humains, une arme pour la paix*, Éditions Grip, 1998.

Amnesty International, *Rapport 1999*, Éditions francophones, 1999.

Guillaume D'ANDLAU, *L'Action humanitaire*, PUF, Que sais-je ?, 1998.

Colette BRAECKMAN, *Rwanda, histoire d'un génocide*, Fayard, 1994.

Colette BRAECKMAN, *Terreur africaine*, Fayard, 1996.

Rony BRAUMAN, *L'Action humanitaire*, Flammarion, 1995.

David CAHEN, *Politique internationale*, Presses universitaires de Bruxelles, 1988.

Olivier CORTEN et Pierre KLEIN, *Droit d'ingérence ou obligation de réaction ?*, Éditions Bruylant, ULB, 1996.

Alain DESTEXHE, *L'Humanitaire impossible ou deux siècles d'ambiguïtés*, Armand Colin, 1993.

Jean-François DUPAQUIER, *La Justice internationale face au drame rwandais*, Éditions Karthal, 1996.

André GIDE, *Journal 1926-1950*, Gallimard, 1997.

François HOURMANT, *Au pays de l'avenir radieux*, Aubier, 2000.

Philippe JACQUIN, *Terre indienne : un peuple écrasé, une culture retrouvée*, Autrement, 1991.

Bernard KOUCHNER, *Le Malheur des autres*, Odile Jacob, 1991.

Bernard KOUCHNER et Mario BETTATI, *Le Devoir d'ingérence*, Denoël, 1987.

Bernard KOUCHNER et l'abbé PIERRE, *Dieu et les hommes*, Robert Laffont, 1993.

Christian LECHERY et Philippe RYFMAN, *Action humanitaire et Solidarité internationale : les ONG*, Hatier, 1993.

Robert LEGROS, *L'Avènement de la démocratie*, Grasset, 1999.

Abbé PIERRE, *Fraternité*, Fayard, 1999.

Jean-Christophe RUFFIN, *L'Aventure humanitaire*, Découvertes Gallimard, 1994.

Françoise Tulkens, *Introduction au droit pénal*, Story Scientia, 1998.
Collectif, *L'État du Monde*, La Découverte, 1999.

Documents de presse cités en référence

10/04/1898, « La ligue sans réticences, sans hésitation », Henry Leyret, *L'Aurore – Hommes et Liberté*, 1998.

16/12/1968 « Suisse, les rouages de la neutralité », Georges Walter, *Cahiers de L'Express*, 1993.

29/07/1975, « Conférence d'Helsinki, les mots et les choses », André Fontaine, *Le Monde*.

7/07/1989, « Folie et droits de l'homme », Rony Brauman, *Cahiers de l'Express*, 1993.

14/07/1989, « Sur terre comme sur mer », Mario Bettati, *Cahiers de L'Express*, 1993.

3/1993, « Sauver les corps », Bernard Kouchner, *Cahiers de L'Express*, 1993.

28/07/1994, « Une monstrueuse manipulation », Rony Brauman, *L'Express*.

22/01/1997, *The Fall of the French Empire in Africa*, Gérard Prunier, *The Wall Street Journal*.

2/02/1998, « La nécessité d'une commission d'enquête française », Stephen Smith, *Libération*.

2/02/1998, « Rwanda, le retrait de l'Onu a permis le génocide », Stephen Smith, *Libération*.

24/03/1998, « Les silences des Nations unies », Alain Destexhe, *Libération*.

7/12/1998, « Fidel Castro lance la chasse à la décadence », Christian Lionet, *Libération*

8/12/1998, « Les droits de l'homme dans tous leurs États généraux », Olivier van Vaerenbergh, *Le Soir*.

8/12/1998, « Akin Birdal, la bête noire de l'État turc », Éric Biegala, *Le Soir*.

8/12/1998, « L'obscur empire des caméras indiscrètes », Florent Latrive, *Libération*.

9/12/1998, « La manie du fichage génétique », Patrick Sabatier, *Libération*.

10/12/1998, « L'outsider américain », Véronique Kiesel, *Le Soir*.

10/12/1998, « Amnesty International a changé sa stratégie, pas sa croisade », Pascal Martin, *Le Soir*.

10-16/12/98, « Droits de l'homme : impasses et contradictions », n° 423 spécial 50ᵉ anniversaire – *Courrier international*.

3/02/1999, « Des Ailes et des Hommes », interview d'Emma Bonino, France 3.

27/04/1999, « Il sera de moins en moins possible d'opprimer à l'abri des frontières », Bernard Kouchner, *Le Monde.*

6/05/1999, « Éthique et Souveraineté », Zaki Laïdi, *Libération.*

6/05/1999, « Les militaires ne peuvent garder les camps », Rony Brauman, *Libération.*

6/05/1999, « Les réfugiés dévalisés par la mafia et ballottés dans des camps surpeuplés », M-L. C. et P. Q., *Libération.*

11/05/1999, « *Kosovo : Nato Use of Cluster Bombs Must Stop* », *Human Rights Watch*, Flash # 36.

21/05/1999, « On aurait voulu Kofi Apache », Florence Aubenas, *Libération.*

27/05/1999, « *Statement par Justice Louise Arbour, Prosecutor ICTY* », *Press Release*, Tribunal pénal international ex-Yougoslavie.

27/05/1999, « Il n'y a pas de place ici », Daniel Sibony, *Libération.*

10/06/1999, Interview de Jacques Chirac, journal télévisé, France 2.

17/06/1999, « Haro sur la peine de mort », M.-L. C., *Libération.*

17/06/1999, « La recherche des enfants disparus de Sierra Leone », d'après l'Agence France Presse, *Libération.*

29/07-4/08/1999, « CIA, une sale guerre au Guatemala », Vincent Jauvert, *Le Nouvel Observateur.*

9-15/09/1999, « Jiang Zemin réveille l'Amérique », Bruno Birolli, *Le Nouvel Observateur.*

9-15/09/1999, « Allez vous faire voir dans le cybermonde », Stéphane Artéta, *Le Nouvel Observateur.*

22/09/1999, « Deux concepts de la souveraineté », Kofi Annan, *Le Monde.*

Septembre 1999, « Dans les Balkans, dix années d'erreurs et d'arrière-pensées », Xavier Bougarel, *Le Monde diplomatique.*

15/10/1999, Interviews de Jacques Chirac et de Bernard Kouchner, journal télévisé, France 2.

16-17/10/1999, « Le tour des fronts des *French Doctors* », Éric Favereau, *Libération.*

16-17/10/1999, « Un Nobel de paix pour les médecins de la guerre », J.-P., *Libération.*

Octobre 1999, « Les ressources méconnues du droit international », Monique Chemiller-Gendreau, *Le Monde diplomatique.*

Novembre 1999, « Kosovo, succès militaire, défaite politique », Gabriel Kolko, *Le Monde diplomatique.*

10/12/1999, « *The Universal Declaration of Human Rights is the Most Universal Document in the World* », *Press Release*, Nations unies.

5/01/2000, « Le droit d'ingérence n'est pas mort au Kosovo », Mario Bettati, *Le Monde.*

5/01/2000, « L'urgence est à l'utopie », Jacky Mamou, *Le Monde.*

12/01/2000, « Les États-Unis vont condamner la Chine », *Libération*.

28/01/2000, « Le passé mutilé de la Sierra Leone », Stephen Smith, *Libération*.

31/01/2000, « Timor : l'Onu accuse l'armée indonésienne », AFP, *Libération*.

Janvier 2000, « Tous des espions », *Sciences et Avenir*.

Janvier 2000, « 2039 le Big Brother », *Sciences et Avenir*.

4/02/2000, « La colère de monsieur Kouchner », éditorial, *Le Monde*.

5/02/2000, « Un rapport ravive le syndrome rwandais », Pascal Sac, *La Libre Belgique*.

Revues, études, rapports et textes cités en référence

Déclaration des droits, Marquis de Condorcet, Versailles, 1789.

Déclaration universelle des droits de l'homme, 10/12/1948.

Les conventions de Genève du 12/08/1949, publications du CICR.

Convention de Genève du 25/07/1951.

Pacte international relatif aux droits civils et politiques, 1966.

Résolution 43/131 « Nouvel ordre humanitaire mondial », Assemblée générale de l'Onu, 8/12/1990.

Résolution 45/100 « Assistance humanitaire aux victimes de catastrophes naturelles et situations d'urgence du même ordre », Assemblée générale de l'Onu, 14/12/1990.

Résolution 688, Conseil de sécurité de l'Onu, 5/04/1991.

Droit ou devoir d'ingérence humanitaire, Éric David, *Journal des Juristes démocrates*, n° 80, Bruxelles, juin 1991.

L'humanitaire en question : morale et politique, Alexandre Adler, *Ingérences*, juin 1993.

Bulletin n° 4, Avocats sans Frontières, quatrième trimestre 1994.

Annual Report, Human Right Watch, 1994/1995.

Bulletin n° 5, Avocats sans Frontières, premier trimestre 1995.

Lettre ouverte sur la nécessité d'étendre la compétence du tribunal international pour le Rwanda, Avocats sans Frontières, juin 1995.

Medical Humanitarianism and Human Rights : Reflections on Doctor Without Borders and Doctor of the World, Renée C. Fox, Université de Pennsylvanie, Philadelphie, 1995.

« Avocats sans Frontières : quatre années d'existence », Pierre Legros, Luc Gadim et Marc Libert, *Revue trimestrielle des droits de l'homme*, Bruxelles, Bruylant et Némésis, 1996.

Rapport de mission en Israël, Avocats sans Frontières, 1996.

Dictionnaire de droit humanitaire, textes de base 1789-1997, Buch.

Rapport annuel, Organisation mondiale contre la torture, 1997.

« AsF, cinq ans d'existence », Yves Oschinsky, *Journal des procès*, 24/01/97.

Bibliographie

Annual Report, Human Rights Watch, 1997-1998.

1898-1998, Une mémoire pour l'avenir, Hommes et Liberté, nᵒˢ 97/98, Ligue des droits de l'homme 1998.

Rapport de mission exploratoire en Irlande du Nord (Ulster), Avocats sans Frontières, février 1998.

Discours d'Erik Derycke, ministre des Affaires étrangères de la Belgique, 54ᵉ session de la Commission des droits de l'homme, Nations unies, 18/03/1998.

Cinquième Assemblée générale de l'Organisation mondiale contre la torture, 31/08/1998, rapport.

Colloque du 28/10/1998, 50ᵉ anniversaire de la Déclaration universelle des droits de l'homme, Palais d'Egmont, organisé par les ministères belge des Affaires étrangères et de la Justice, Rapport, août 1999.

Report of exploratory to Punjab (Inde), Avocats sans Frontières, novembre 1998.

Résolution 53/144, « Déclaration sur le droit et la responsabilité des individus, groupes et organes de société de promouvoir et protéger les droits de l'homme et les libertés fondamentales universellement reconnus », Assemblée générale de l'Onu, 9/12/1998.

Rapport semestriel « Justice pour tous au Rwanda », Avocats sans Frontières, premier semestre 1999.

Rapport de mission en Turquie, Avocats sans Frontières, mars 1999.

Le concept stratégique de l'Alliance, Otan, approuvé à Washington les 23 et 24/04/1999.

Déclaration de Washington, Otan, 23 et 24/04/1999.

« La guerre au Kosovo : une guerre munichoise ? », Alain Finkielkraut, conférence du 10/05/1999, ULB.

Statuts de la cour pénale internationale permanente, 18/07/1999.

Bulletin 1999/3, Avocats sans Frontières, troisième trimestre 1999.

Tour du monde des actions, revue nᵒ 62, *Handicap International,* troisième trimestre 1999.

Lettre d'information, Handicap International, novembre 1999.

Interventions, Action contre la Faim, nᵒ 57, décembre 1999.

Statuts de la Ligue internationale des droits de l'homme.

Statuts de l'Organisation mondiale contre la torture.

Charte de l'Aide médicale internationale.

Publications et plaquettes Handicap International, Amnesty International, MsF, OMCT, RSF, AMI, Action contre la faim.

Composition P.C.A.
Rezé 44400

Impression réalisée sur CAMERON par
BRODARD ET TAUPIN
La Flèche

pour le compte des Presses du Management
en mai 2000